BERLIN
HEUTE TODAY AUJOURD'HUI

BERLIN

HEUTE TODAY AUJOURD'HUI

Text Christiane Kruse

Fotografien · Photographs · Photographies
Michael Haddenhorst
Jürgen Hohmuth

PRESTEL
München · Berlin · London · New York

© Prestel Verlag,
München · Berlin · London · New York, 2002
Überarbeitete Neuauflage / Revised edition /
Revue et corrigée

Bildnachweis / Photo credits / Crédits photo-
graphiques, S./p. 96

Wir danken Dieter Vorsteher vom Deutschen Histo-
rischen Museum für die freundliche Unterstützung.
We would like to thank Dieter Vorsteher of the Deut-
sches Historisches Museum for his kind support.
Nous remercions Dieter Vorsteher du Deutsches
Historisches Museum pour son aimable soutien.

Umschlag / Cover / Couverture:
(Vorderseite / Front / Dessus) Potsdamer Platz,
Berlin, Fotografie / Photograph / Photographie:
Jürgen Hohmuth
(Rückseite / Back / Dos) Neue Synagoge-Centrum
Judaicum, Kammermusiksaal, Reichstag,
Brandenburger Tor
(Vordere Klappe / Front flap / Premier rabat) Bundes-
kanzleramt, Hackesche Höfe, Potsdamer Platz
(Hintere Klappe / Back flap / Deuxième rabat) Schloss
Charlottenburg, Kaiser-Wilhelm-Gedächtniskirche,
Gendarmenmarkt

Fotografien / Photographs / Photographies:
Michael Haddenhorst, Jürgen Hohmuth

Die Deutsche Bibliothek – CIP Einheitsaufnahme
Ein Titelsatz für diese Publikation ist bei der
Deutschen Bibliothek erhältlich

The Library of Congress Cataloguing-in-Publication
data is available; British Library Cataloguing-in-Publication Data: a catalogue record for this book is
available from the British Library; Deutsche
Bibliothek holds a record of this publicaton in the
Deutsche Nationalbibliographie; detailed bibliogra-
phical data can be found under: http://dnb.ddb.de

Prestel Verlag · Königinstraße 9 · 80539 München
Tel. +49 (0)89 381709-0 · Fax +49 (0)89 381709-35

Prestel Verlag · Büro Berlin · Husemannstraße 26 ·
10435 Berlin
Tel. +49 (0)30 4250185 · Fax +49 (0)30 4250185
www.prestel.de

Prestel Publishing Ltd. · 4 Bloomsbury Place · London
WC1A 2QA
Tel. +44 (0)20 7323-5004 · Fax +44 (0)20 7636-8004

Prestel Publishing · 900 Broadway, Suite 603 ·
New York, NY 10003
Tel. +1 (212) 995-2720, Fax +1 (212) 995-2733
www.prestel.com

Prestel books are available worldwide.
Please contact your nearest bookseller or write to
one of the above addresses for information concern-
ing your local distributor.
Les ouvrages Prestel sont distribués partout dans
le monde.
Pour en connaître les points de vente, contactez
votre librairie ou l'une des adresses ci-dessus.

Übersetzung / Translation / Traduction:
Elizabeth Schwaiger (German–English),
Stéphanie Fiedler, Denys Simon (allemand–français)

Konzept / Concept / Conception: Jürgen Tesch
Lektorat / Editor / Coordination éditoriale:
Angeli Sachs
Copyediting (English): Claudine Weber-Hof
Relecture (français): Martine Passelaigue, Caroline
Gutberlet
Bildredaktion / Picture research / Iconographie:
Jochen Stamm
Gestaltung und Herstellung / Design and production /
Conception graphique et fabrication:
Kluy & Kluy, Maja Kluy
Kartographie / Cartography / Cartographie:
Anneli Nau
Reproduktion / Lithography / Reprographie:
LVD, Berlin
Druck und Bindung / Printing and binding / Impres-
sion et reliure: Print Consult, München

Gedruckt auf chlorfrei gebleichtem Papier / Printed
on acid-free paper / Imprimé sur papier blanchi
sans chlore

Printed in Germany
ISBN-10: 3-7913-3583-9
ISBN-13: 978-3-7913-3583-4

Berlin Heute – das ist eine Stadt im Wandel. Internationale Wettbewerbe und Visionen prominenter Architekten finden weltweite Beachtung, architektonische Großprojekte und spektakuläre Gebäude entstehen, und historische Bauten erstrahlen nach und nach in neuem Glanz. Wieder einmal in seiner bewegten Geschichte erhält Berlin ein neues Gesicht – als moderne Hauptstadt und weltoffene europäische Metropole des 21. Jahrhunderts.

Mit der Neugestaltung Berlins wachsen nicht nur zwei lange getrennte Stadthälften zusammen. Auch der Wiederaufbau der im Zweiten Weltkrieg schwer zerstörten Stadt wird erst jetzt, ein halbes Jahrhundert nach Kriegsende, endgültig abgeschlossen.

Die Voraussetzungen für eine neue Stadtentwicklung sind dabei weltweit einmalig. Denn infolge der mehr als 40 Kilometer langen Mauer und ihrer Sperranlagen, die Berlin 28 Jahre lang in zwei Teile gerissen hatte, waren große, kriegszerstörte Grundstücke im ›Todesstreifen‹ bis zur politischen Wende 1989 unbebaut geblieben.

In drei großen Abschnitten stellt unsere Bilddokumentation die Brennpunkte der Stadt übersichtlich vor: Der alte Westen – die neue Mitte – das Regierungsviertel.

Die Luftbilder von Jürgen Hohmuth zeigen neuartige Perspektiven der zusammenwachsenden Stadt. Sie wurden von einem unbemannten Foto-Luftschiff aufgenommen, das eine vom Boden aus bediente Kamera enthält. Aus bis zu 60 Meter Höhe fotografiert, bieten sie beides: Einen weiten Überblick bei hervorragender Erkennbarkeit der Objekte.

Die stimmungsvollen Fotografien von Michael Haddenhorst aus der Perspektive des Spaziergängers runden das Bild des heutigen Berlin ab.

In bisher weitgehend unbekannten historischen Ansichten stellt das Buch der neuen Architektur und den schön sanierten Plätzen und Altbauten aber auch die Zerstörung der Stadt im Zweiten Weltkrieg und die Spuren der Teilung in West- und Ostberlin gegenüber.

Ausgewählte Fotografien erinnern an das ebenso elegante wie pittoreske Alt-Berlin vor dem Krieg.

So erzählen die Bilder dieses Buchs vom architektonischen Neuanfang, aber auch von der historischen Entwicklung und der wechselvollen Geschichte einer faszinierenden Weltstadt.

Berlin Today – A city in transition. International competitions and the visions of renowned architects attract world-wide attention, architectural mega projects and spectacular buildings are under construction and historic buildings are being gradually restored to renewed splendor. In its turbulent history, Berlin is once again adopting a new face – this time as a modern capital and open-minded European metropolis of the 21st century.

The new urban plan for Berlin not only achieves the integration of two halves of the city that were separated for such a long time. It also represents the final phase in the reconstruction of the city, which suffered severe damage in the Second World War, half a century after the war's end.

The conditions for urban renewal in this city are unique in the world. For the Wall, over 40 km long, and the watchtower and border installations, which tore Berlin into two parts for 28 years, had left vast war-destroyed areas in the "dead zone," wastelands where no development could occur until the political turnaround in 1989.

Our pictorial documentation offers a clear overview of the city's focal points in three major sections: the old West – the new centre – the government district.

Jürgen Hohmuth's aerial photographs show the reconfiguration of the divided city into a single entity from an entirely new perspective. They were taken from an unmanned photo-dirigible, equipped with a camera that was operated from ground level. Taken from a height of up to 60 metres, these images offer panoramic views while providing outstanding clarity and visibility of individual buildings.

The atmospheric photographs by Michael Haddenhorst, taken from the perspective of a leisurely walk, round out the image of Berlin today.

Presenting rarely seen historic images of the city, this volume juxtaposes the new architecture and beautifully restored squares and historic buildings with the destruction in the aftermath of the Second World War and the traces left behind by the division into East- and West Berlin.

Selected photographs recall pre-war Berlin, as elegant as it was picturesque.

Thus the images tell the story of an architectural rebirth, but also of the historic development and the eventful history of a fascinating metropolis.

Berlin aujourd'hui est une ville en pleine mutation. Les concours internationaux et les réalisations visionnaires d'architectes renommés trouvent écho dans le monde entier ; des projets architecturaux d'envergure et des bâtiments spectaculaires y voient le jour, les édifices historiques rayonnent peu à peu d'un nouvel éclat. Une fois encore au cours de son histoire mouvementée, Berlin se montre sous un nouveau visage — celui d'une capitale moderne et d'une métropole européenne du XXIᵉ siècle.

Le remodelage de Berlin n'est pas uniquement lié à la réunification des deux parties de la ville longtemps séparées. C'est aussi la reconstruction de la ville, gravement endommagée pendant la Deuxième Guerre mondiale, qui touche enfin à son terme, un demi-siècle après la fin de la guerre.

Les conditions dont jouit le développement de la ville sont sans précédent à l'échelle mondiale. Berlin ayant été en effet divisée pendant 28 ans par un mur long de 40 kilomètres et quantité de postes de contrôle, de vastes terrains détruits par la guerre et situés sur la « zone de mort » étaient restés en friche jusqu'au tournant politique de 1989.

Notre documentation photographique, qui se déploie en trois volets, donne un aperçu clair des pôles de la ville : l'ancien Ouest, le nouveau Centre (Mitte), le quartier ministériel.

Les vues aériennes de Jürgen Hohmuth offrent des perspectives inédites de la ville ressoudée. Elles ont été prises d'un dirigeable contenant un appareil photo commandé depuis le sol. Prises à une hauteur atteignant jusqu'à 60 mètres, ces vues permettent d'embrasser l'ensemble tout en reconnaissant parfaitement chacun des objets représentés.

Les photographies tout en ambiance de Michael Haddenhorst, qui adoptent, elles, le point de vue du promeneur, parachèvent l'image du Berlin d'aujourd'hui.

À la nouvelle architecture et aux placettes et édifices anciens joliment rénovés, ce livre appose aussi la destruction de la ville pendant la Deuxième Guerre mondiale et les traces de la division en Berlin-Est et Berlin-Ouest, illustrées par des clichés historiques pour beaucoup inédits.

Un choix de photographies rappelle la ville à la fois élégante et pittoresque que fut Berlin avant la guerre.

Les images rassemblées dans ce livre se font ainsi le récit d'une nouvelle ère architecturale, mais aussi de l'évolution historique et de l'histoire mouvante de cette métropole fascinante.

Kurze Stadtgeschichte

A Brief Urban History

Brève histoire de la ville

Der Zweite Weltkrieg hat Berlin tiefe Wunden zugefügt. Mehr als 50% der Gebäudesubstanz war bei Kriegsende zerstört. Nur wenige der Bauten, die in diesem Buch gezeigt werden, haben die Bombenangriffe ohne Schaden überstanden.
Im vernarbten Stadtbild sind dennoch die Relikte historischer Epochen zu entdecken:

The Second World War inflicted deep wounds on Berlin. At the end of the war, over 50 per cent of the city fabric lay in rubble. Few of the buildings featured in this book survived the bombing raids unscathed. Still, relics of historic epochs are visible in the scarred urban image: We discover traces of the medieval twin cities of Cölln and Berlin, which were amalgamated into a

De la Deuxième Guerre mondiale, Berlin a gardé des blessures profondes. À la fin de la guerre, plus de 50 % des bâtiments avaient été détruits. Parmi les bâtiments qui figurent dans ce livre, rares sont ceux que les bombardements ont laissés intacts.
On peut cependant découvrir sur l'image d'une ville meurtrie les restes d'époques historiques :

Enttrümmerungsarbeiten am Reichstag, um 1946
Removing rubble from the Reichstag site, circa 1946
Travaux de déblaiement au Reichstag, vers 1946

Das zerstörte Reichstagsgebäude, um 1946
The destroyed Reichstag building, ca. 1946
Le bâtiment détruit du Reichstag, vers 1946

Der abgeholzte Tiergarten wurde als Ackerfläche genutzt, Sommer 1946
The cleared Tiergarten was utilized for growing crops, summer 1946
Le Tiergarten déboisé, devenu terre cultivée, été 1946

Wir finden Spuren der mittelalterlichen Doppelstädte Cölln und Berlin, die sich 1432 zu einer Stadt zusammenschlossen. Die erste urkundliche Erwähnung von Cölln aus dem Jahr 1237 gilt heute als das Gründungsdatum für ganz Berlin.

Mitte des 15. Jahrhunderts wurde Berlin Residenz der brandenburgischen Kurfürsten, der Kern des zerstörten Stadtschlosses am Lustgarten entstand.

Gegen Ende des 17. Jahrhunderts kam es zu einer umfangreichen Stadterweiterung. Ein Ring von Vorstädten wie die Spandauer Vorstadt (1699), im Norden des mittelalterlichen Zentrums, oder die Friedrichstadt (1688), südlich der Allee Unter den Linden, wurde um Alt-Berlin gelegt.

Als das Edikt von Potsdam (1695) die Ansiedlung von in Frankreich verfolgten Hugenotten in Preußen erlaubte, ließen sich rund 12 000 von ihnen in Potsdam und Berlin nieder, viele in der Dorotheenstadt, einer Vorstadt nördlich der ›Linden‹.

1701 wurde Preußen Königreich. Berlin erlebte als königliche Residenzstadt unter König Friedrich I. – seit 1688 hatte er bereits als Kurfürst Friedrich III. geherrscht – die erste große kulturelle Blüte: Der Ausbau des barocken Berlin begann. Beim Tod des Königs im Jahr 1713 hatte die Stadt ca. 56 000 Einwohner.

Der sogenannte Soldatenkönig Friedrich Wilhelm I. ließ während seiner Regentschaft (1713–1740) zahlreiche Exerzierplätze anlegen. Dem als sparsam und

single city in 1432. The first recorded mention of Cölln from the year 1237 is now regarded as the foundation date of Berlin.

In the mid-15ᵗʰ century Berlin became the seat of the Electors of Brandenburg, and the core of the destroyed Stadtschloss (city castle) at the Lustgarten was created during this time.

The late 17ᵗʰ century saw extensive urban expansion. Old Berlin was surrounded by a ring of suburbs, such as the Spandauer Vorstadt (1699) to the north of the medieval centre, and Friedrichstadt (1688), south of Unter den Linden.

When the Edict of Potsdam (1695) opened the doors to Huguenots persecuted in France and allowed them to settle in Prussia, some 12,000 chose Potsdam and Berlin where many established homes in Dorotheenstadt, a suburb north of the "Linden".

In 1701 Prussia became a kingdom. Under King Frederick I – who had been reigning as Elector Frederick III since 1688 – Berlin experienced its first great cultural flowering as a royal capital: this was the beginning of the development of Berlin as a Baroque city. At the king's death in 1713, the city had grown to some 56,000 inhabitants.

During his reign (1713–1740) the so-called 'Soldier King' Frederick William I established numerous parade grounds. But Berlin also owes many churches, royal palaces and large ornamental public squares, such as the Quarré (now Pariser Platz), the Oktogon (now

Ainsi nous retrouvons les traces des villes médiévales de Cölln et Berlin, qui en 1432 fusionnèrent en une seule ville. La date de fondation, qui vaut aujourd'hui pour tout Berlin, renvoie à la première mention connue de Cölln dans des documents de 1237.

Au milieu du XVᵉ siècle, Berlin devint la résidence des princes brandebourgeois ; le noyau du château de la ville, aujourd'hui détruit, fut construit au Lustgarten.

Vers la fin du XVIIᵉ siècle, la ville connaît une expansion considérable. Le vieux Berlin est entouré d'un ceinturon de faubourgs, ainsi la Spandauer Vorstadt (1699), au nord du centre médiéval, ou la Friedrichstadt (1688), au sud de l'allée Unter den Linden.

Lorsque l'Édit de Potsdam (1695) autorise l'imigration en Prusse des huguenots persécutés en France, environ 12 000 d'entre eux s'installent à Potsdam et à Berlin, en particulier dans la Dorotheenstadt, un faubourg au nord des « Linden ».

En 1701, la Prusse devient un royaume. Berlin, devenue la Résidence royale sous le roi Frédéric Iᵉʳ — prince régnant jusqu'en 1688 sous le nom de Frédéric III — connut son premier essor culturel : commence alors le développement du Berlin baroque. À la mort du roi, en 1713, la ville compte environ 56 000 habitants.

Frédéric-Guillaume Iᵉʳ, surnommé le roi-soldat, fait aménager pendant son règne (1713-1740) de nombreux terrains d'exercice. À ce roi, qui a la répu-

kunstfeindlich bekannten König verdankt Berlin aber auch Kirchen, Adelspalais und große Schmuckplätze, wie das Quarré (heute Pariser Platz), das Oktogon (Leipziger Platz) und das Rondell (Mehringplatz).

Die Regierungszeit seines Sohnes Friedrich II. (der Große) von 1740–1786 brachte der Stadt elegante Bauten im Stil des friderizianischen Rokoko. Eine Förderung der unter seinem Vater vernachlässigten schönen Künste jedoch erhielt Berlin nicht im erhofften Maß, denn der König bevorzugte schon bald das nahe gelegene Potsdam als Residenzstadt.

Während der kurzen Regentschaft Friedrich Wilhelms II. von 1786–1797 hielt der Klassizismus in Berlin Einzug. Ein wichtiger Architekt des neuen Stils war Carl Gotthard Langhans, der das weltberühmte Brandenburger Tor erbaute.

Als Hauptvertreter des Klassizismus aber gilt Karl Friedrich Schinkel, der als Leiter des Staatsbauamtes seit 1830 für das Bauwesen ganz Preußens verantwortlich war. Mit der Errichtung von Kirchen, Wohnhäusern, Palais und bekannten Meisterwerken wie dem Alten Museum und dem Schauspielhaus prägte er das Gesicht des biedermeierlichen Berlin.

Seine Tätigkeit fiel schon unter Friedrich Wilhelm III. (1797–1840), dessen Gemahlin die berühmte, nicht nur von Berlinern verehrte Königin Luise gewesen ist.

Auch der ›romantische‹ König Friedrich Wilhelm IV. – er regierte 1840–1861 – nahm mit seinen Architekten Ludwig Persius und Friedrich August Stüler engagiert Einfluss auf das Berliner Baugeschehen. Die Museumsinsel geht auf seine Initiative zurück.

Mit der Gründung der heute unter dem Namen Humboldt-Universität bekannten Hochschule im Jahr 1810 erhielt die Stadt Aufschwung als Wissenschaftszentrum. 1838 hatte Berlin rund 300 000 Einwohner.

Mitte des 19. Jahrhunderts setzte auch in Berlin die Industrialisierung ein. 1837 hatte der ›Lokomotivkönig‹ August Borsig in der Chausseestraße seine ›Maschinenbauanstalt‹ gegründet, in der 1841 die erste Lokomotive Deutschlands produziert wurde. Der enorme Erfolg des Unternehmens ist beispielhaft für Preußens Industriepioniere dieser Zeit: Schon 20 Jahre später war Borsig mit 2 000 Beschäftigten einer der größten Arbeitgeber an der Spree.

Mit weiteren großen Firmen, darunter die AEG, Osram oder die Siemens-Werke, entwickelte sich Berlin zum wichtigsten Industriestandort Deutschlands.

Die Unternehmen zogen Arbeit suchende Menschen zu Tausenden in die Stadt, die Bevölkerung wuchs immens: 1905 zählte Berlin bereits zwei Millionen Einwohner.

Die Masse der Menschen und die Entwicklung von Industrie und Technik verursachte einen gewaltigen Bauboom: Es war ›Gründerzeit‹. Nicht nur Industrieanlagen und Wohnstätten, auch Warenhäuser, Bahnhöfe, Schulen, Badeanstalten, Kirchen, Schlachthöfe und Markthallen wurden benötigt.

Die Wirtschaftsblüte hatte viele Berliner vermögend gemacht und im Grüngürtel, wie im Grunewald oder um den Wannsee, entstanden gegen Ende des 19. Jahrhunderts große Villenkolonien.

Zugleich entwickelte sich Berlin zur »größten Mietskasernenstadt der Welt«, in deren Hinterhöfen ein unvergleichliches Wohnungselend herrschte.

Leipziger Platz) and the Rondell (now Mehringplatz) to the king, despite his reputation for frugality and disinterest in the arts.

During the reign of his son Frederick II (the Great) from 1740–1786, the city was embellished with elegant buildings in the style of the Frederickian Rococo, although the hoped-for patronage for the arts failed to materialise, since the king chose nearby Potsdam as his capital.

Classicism came to Berlin during the short regency of Frederick William II from 1786–1797. The architect Carl Gotthard Langhans, creator of the world-famous Brandenburg Gate, was an important representative of the new style.

But it was Karl Friedrich Schinkel, head of the newly created Public Works Department from 1830 onward, who was undisputedly the greatest German classicist architect. His churches, housing developments, palais and famous masterworks such as the Altes Museum and the Schauspielhaus defined the image of Berlin in the Biedermeier era.

Schinkel's career coincided with the era of Frederick William III (1797–1840), whose famous wife Queen Luise was admired not only by Berliners.

Even the 'romantic' King Frederick William IV (1840–1861) had a lasting influence on Berlin's urban plan with his architects Ludwig Persius and Friedrich August Stüler. The Museum Island (Museumsinsel) sprang from his initiative.

With the foundation of the university now known as Humboldt-Universität in 1810, the city attained the status of an important scientific centre. By 1838 the population of Berlin had grown to 300,000.

Industrialization arrived in Berlin in the mid-19th century. The 'locomotive baron' August Borsig had founded a 'machine building factory' on Chausseestrasse in 1837, where Germany's first locomotive was manufactured in 1841. The staggering success of the enterprise exemplifies Prussians as industrial pioneers of the time: a few years later, Borsig had become one of the largest employers on the Spree River with 2,000 employees.

As other major firms established themselves, among them AEG, Osram and the Siemens Works, Berlin evolved into Germany's premier industrial centre.

The companies attracted thousands of people in search of work to the city and the population soared: in 1905 Berlin had two million inhabitants.

The population mass and the rapid industrial and technological development launched a powerful building boom: this period is known as the Gründerzeit (or 'foundation period'). Not only industrial developments and housing were needed, but also department stores, railway stations, schools, public baths and pools, churches, abattoirs and market halls.

The economic boom had brought wealth to many Berliners and large villa colonies emerged in the green belt of the city, in Grunewald and along the shores of the Wannsee, for example, towards the end of the 19th century.

At the same time, Berlin developed into the "world's largest tenement block city" whose courtyards saw miserable housing conditions on an unprecedented scale.

Berlin had been the imperial capital since the foundation of the Empire in 1871; William I was crowned

tation d'être économe et ennemi de l'art, Berlin doit cependant aussi des églises, des palais et de grandes places ornementales comme le Quarré (aujourd'hui Pariser Platz), l'Octogone (Leipziger Platz) et le Rondell (Mehring Platz).

Le règne de son fils Frédéric II (Le Grand), de 1740 à 1786, se caractérise par des constructions élégantes dans le style du rococo fréderícain. Pour autant, les beaux-arts, délaissés par son père, ne connaissent pas à Berlin la promotion que l'on aurait pu espérer du nouveau roi, qui témoigne rapidement d'un goût plus prononcé pour Potsdam, dont il fait son lieu de résidence. Pendant le règne bref de Frédéric-Guillaume II, de 1786 à 1796, le classicisme est de retour. Parmi les architectes importants du nouveau style figure Carl Gotthard Langhans, qui édifia la célèbre Porte de Brandebourg.

C'est cependant Karl Friedrich Schinkel qui passe pour le représentant du classicisme par excellence. Premier architecte des bâtiments de l'État à partir de 1830, il est responsable de constructions dans toute la Prusse : avec ses églises, maisons, palais et des chefs-d'œuvre comme le Altes Museum ou le théâtre, il donne au Berlin de l'ère du Biedermeier ses traits caractéristiques. Schinkel œuvre sous le règne de Frédéric-Guillaume III (1797-1840), qui a pour épouse la reine Louise, célèbre et adulée, à Berlin comme ailleurs.

Frédéric-Guillaume IV, « le roi romantique », qui règne de 1840 à 1861, contribue lui-même activement au paysage urbain de Berlin, avec ses architectes Ludwig Persius et Friedrich August Stüler. Il est ainsi l'initiateur de l'Île des Musées (Museumsinsel).

Avec la fondation de la faculté que l'on connaît aujourd'hui sous le nom de Humboldt Universität, en 1810, la ville est promue au rang de pôle de la recherche scientifique. En 1838, Berlin compte environ 300 000 habitants.

Au milieu du XIXᵉ c'est aussi l'industrialisation qui commence à Berlin. En 1837, August Borsig, le « roi de la locomotive » avait fondé dans la Chausseestrasse son atelier de construction mécanique, dont sortit en 1841 la première locomotive allemande. Le succès extraordinaire de l'entreprise servit d'exemple à tous les pionniers de l'industrie en Prusse : à peine 20 ans plus tard, employant 2 000 personnes, Borsig était l'un des plus grand patrons de la Spree.

Avec la contribution d'autres grosses entreprises, comme AEG, Osram ou Siemens, Berlin devient le plus grand lieu d'implantation de l'industrie dans toute l'Allemagne. Des milliers de personnes en quête d'emploi partent pour la ville. La population augmente de manière phénoménale. En 1905, Berlin compte deux millions d'habitants.

La masse humaine et le développement de l'industrie et de la technique suscitent un boom architectural démesuré : c'est l'« époque de fondation » (ou Gründerzeit). La ville a besoin non seulement de bâtiments industriels et de logements, mais aussi de commerces, de gares, d'écoles, de bains-douches, d'églises, d'abattoirs et de marchés couverts.

La prospérité économique rejaillit sur les Berlinois, qui commencent vers la fin du XIXᵉ siècle à créer sur les abords verts de la ville, à Grünewald ou Wannsee, des colonies entières de villas.

Seit der Reichsgründung im Jahr 1871 war Berlin Reichshauptstadt; Wilhelm I. wurde erster deutscher Kaiser. 1888 folgte ihm sein Enkel als Wilhelm II. auf den Kaiserthron. Er ließ die Stadt vor allem mit Denkmälern schmücken.

1918 wurde in Berlin die erste deutsche Republik ausgerufen; Berlin blieb Hauptstadt.

Nach Zusammenschluss vorher selbständiger Gemeinden zu ›Großberlin‹ im Jahr 1920 gehörte es mit 3,8 Millionen Einwohnern zu den größten Städten Europas.

In den ›Goldenen Zwanziger Jahren‹, dieser von wirtschaftlichen Problemen, politischen Kämpfen, Armut und Arbeitslosigkeit, aber auch Experimentierfreudigkeit und Lebenslust geprägten Dekade, entwickelte sich Berlin zu einer weltoffenen und toleranten Metropole, die die kreative Elite geradezu magisch anzog.

1933 fand diese außergewöhnliche Zeit ihr jähes Ende. Das geistige Berlin, darunter vor allem viele linke und jüdische Kulturrepräsentanten wie Max Reinhardt, Alfred Döblin, Heinrich Mann, Fritz Lang oder Bertolt Brecht, emigrierte – bevor die Nationalsozialisten ihre Schreckensherrschaft etablierten, die in der Katastrophe des Zweiten Weltkriegs endete.

Nach 1945 wurde Berlin Schauplatz des Kalten Krieges, Brennpunkt der deutschen Geschichte und Symbol des geteilten Deutschland. Aus der Vier-Sektoren-Stadt wurde durch den Bau der Mauer am 13. August 1961 eine geteilte Stadt:

Ostberlin, die Hauptstadt der DDR und Westberlin, die ›Exklave der freien Welt‹.

Die Chancen für ein Wiederaufleben der einstigen Metropole waren zerstört.

»Die Mauer wird auch in 50 oder 100 Jahren noch bestehen …«, hatte DDR Staats- und Parteichef Erich Honecker noch am 19. Januar 1989 verkündet. Am 9. November 1989 jedoch fiel die Mauer. Die ergreifenden Bilder der über die Grenzübergänge strömenden DDR-Bürger gingen um die Welt.

Die Wiedervereinigung im Jahr 1990 und der 1991 gefasste Entschluss, den Regierungssitz erneut nach Berlin zu verlegen, lösten einen gewaltigen Bauboom aus, der Berlin eine neue ›Gründerzeit‹ bescherte.

the first German emperor, followed in 1888 by his nephew William II, whose principal legacy were monuments that ornamented the city.

The first German Republic was proclaimed in Berlin in 1918, with Berlin remaining the capital of the new republic.

Following the amalgamation of previously autonomous communities into "Greater Berlin" in 1920, Berlin joined the ranks of Europe's largest cities with 3.8 million inhabitants.

In the 'Golden Twenties' – a decade marked by economic difficulties, political struggle, poverty and unemployment, but also by a spirit of experimentation and joie de vivre – Berlin evolved into an open-minded and tolerant metropolis, a magnet for the creative and artistic elite.

This extraordinary time came to an abrupt end in 1933. The intellectual community of Berlin, among them many left-wing and Jewish cultural leaders such as Max Reinhardt, Alfred Döblin, Heinrich Mann, Fritz Lang and Bertolt Brecht, emigrated – before the National Socialists established their reign of terror, which culminated in the catastrophe that was the Second World War.

After 1945 Berlin became the stage for the Cold War, the focal point of German history and a symbol of divided Germany. The construction of the Wall on August 13, 1961 transformed the four-sector city into a partitioned city: East Berlin, the capital of the GDR and West Berlin, the 'enclave of the free world'.

Any chance that the former metropolis might embark upon a new life had been destroyed.

"The Wall will continue to stand even in 50 or 100 years …," declared Erich Honecker, party leader and GDR head of state, on January 19, 1989. But on November 9, 1989 the Wall came down. The moving images of GDR citizens streaming across the border checkpoints were broadcasted around the world.

The Reunification in 1990 and the decision in 1991 to re-instate Berlin as the Seat of Government unleashed a tremendous building boom which has initiated a new 'foundation period' in Berlin.

En même temps, avec ses arrière-cours où les conditions d'habitation sont totalement misérables, Berlin devient aussi « la plus grande ville-ghetto du monde ».

Depuis la fondation de l'Empire en 1871, Berlin est la capitale du « Reich » et Guillaume Ier devient le premier empereur allemand. En 1888, son neveu Guillaume II lui succède. Il lègue à la ville essentiellement des monuments de commémoration.

En 1918, on proclame à Berlin la première République allemande. Berlin reste la capitale. Avec la fusion de communes restées jusqu'alors indépendantes et l'émergence du « Grand Berlin » en 1920, la ville, qui compte désormais 3,8 millions d'habitants, est l'une des plus grandes d'Europe.

Avec les « années dorées » (1920) — décennie marquée par les problèmes économiques, les luttes politiques, la pauvreté et le chômage mais aussi le plaisir d'expérimenter et l'envie de vivre —, Berlin devient une métropole ouverte et tolérante qui exerce une attirance magique auprès des élites artistiques et créatrices.

En 1933, cette époque exceptionnelle trouve une fin brutale. Beaucoup d'intellectuels berlinois, parmi lesquels figurent principalement des juifs de gauche — Max Reinhardt, Alfred Döblin, Heinrich Mann, Fritz Lang, Bertolt Brecht — émigrent avant que les nazis établissent la terreur qui aménera à la catastrophe de la Deuxième Guerre mondiale.

Après 1945, Berlin devient le théâtre de la guerre froide, le foyer de l'histoire allemande et le symbole des deux Allemagnes. Avec la construction du Mur le 13 août 1961, d'une ville répartie en quatre secteurs, Berlin devient une ville coupée en deux : Berlin-Est, capitale de la RDA et Berlin-Ouest, l'« enclave de l'Ouest ». Les chances de voir renaître la métropole d'autrefois sont anéanties.

« Dans 50 ou 100 ans, le Mur sera toujours là… », annonçait encore le 19 janvier 1989 Erich Honecker, le chef d'État et chef du Parti de la RDA. Pourtant, le 9 novembre 1989, le Mur tombe. Les images poignantes des Allemands de l'Est déferlant aux frontières firent le tour du monde.

La réunification, en 1990, et la décision en 1991 de déplacer une nouvelle fois le siège du gouvernement à Berlin provoquèrent un nouvel essor architectural, garant d'une nouvelle « époque de fondation ».

Die Mauer im November 1989, im Hintergrund das Brandenburger Tor
The Wall in November 1989 with the Brandenburg Gate in the background
Le Mur en novembre 1989 ; au fond, la Porte de Brandebourg

1 Der alte Westen

The Old West

L'ancien Ouest

Nicht leicht hat es der Westen der Stadt in den letzten Jahren. Er ist etwas aus dem Mittelpunkt des Interesses gerückt, denn seit der politischen Wende und der anschließenden Wiedervereinigung der beiden Stadthälften hat Westberlin starke Konkurrenz bekommen. Die Aufmerksamkeit von Berlinern und Gästen ist nun hauptsächlich auf die Mitte Berlins gerichtet, wo neue kommerzielle, aber auch kulturelle Zentren entstehen und ein gewaltiger Bauboom die Stadt in atemberaubendem Tempo verändert.

Um nicht auf Dauer ins Abseits zu geraten, hat auch der Westen begonnen, sich zu erneuern. Das Neue Kranzlereck am Kurfürstendamm, ein gläserner Büro- und Ladenkomplex in der für die Gegend ganz ungewohnten, hypermodernen Architektur des Architekten Helmut Jahn, zeugt davon. Weitere Neubauten, etwa am Breitscheidplatz oder um den Bahnhof Zoologischer Garten, sollen dem alten Zentrum zukünftig ein moderneres Gesicht verleihen.

Der Kurfürstendamm, die Hauptader des Berliner Westens hat um seinen einst legendären Ruf zu kämpfen. Denn die unzähligen Bars und Lokale, die Kabarett-, Varietébühnen und Revuetheater, wie das Nelson-Theater, wo Josephine Baker in den 1920er Jahren im Bananenröckchen tanzte, die zahlreichen Kinos und Kaffeehäuser – darunter das Romanische Café und das Café des Westens, beide berühmte Künstlertreffs, und schließlich auch das Café Kranzler – sind heute Legende.

Wenn auch die Unterhaltungsstätten des weltberühmten Boulevards nach und nach verschwunden sind: Die kommerzielle Anziehungskraft des ›Kudamms‹, mit einer Länge von mehr als drei Kilometern noch immer Berlins größtes Geschäftszentrum, ist nach wie vor ungebrochen. Das KaDeWe am Wittenbergplatz ist damals wie heute eine Institution von Weltruf und lockt als ›das‹ exklusive Warenhaus Berlins unzählige Besucher aus aller Welt an. Mit der Schaubühne am Lehniner Platz, fast am anderen Ende des Kurfürstendamms gelegen, besitzt Westberlin zudem nicht nur ein bedeutendes bauliches Zeugnis der ›Goldenen Zwanziger Jahre‹, sondern auch eine der interessantesten Theaterspielstätten der Stadt, wo zeitgenössische Avantgarde-Stücke zu sehen sind.

Auch als gute Wohnadresse ist der alte Westen nach wie vor beliebt. Nach der Reichsgründung im Jahr 1871 hatte ein immenses städtisches Wachstum eingesetzt, und Ende des 19. Jahrhunderts waren in Schöneberg, Wilmersdorf und Charlottenburg neue vornehme Wohngegenden entstanden. Prominenz, gehobenes Bürgertum und die ›Neureichen‹ zogen damals aus dem ›alten‹ Berlin in die luxuriösen Gründerzeithäuser des ›neuen Westens‹, so dass Charlottenburg – damals noch eine selbständige, nicht zu Berlin zählende Gemeinde – zu Beginn des 20. Jahrhunderts zu den reichsten Kommunen Europas gehörte. Trotz der katastrophalen Zerstörungen durch

West Berlin hasn't had an easy time of it in recent years. No longer the focal point of interest since the political change and the subsequent reunification of the city, West Berlin has faced stiff competition. The attention of Berliners and visitors alike now focuses mostly on the centre of Berlin, where new commercial and cultural centres are being created and where a massive building boom is transforming the city at a breathtaking pace.

To avoid being relegated to the sidelines for good, the West, too, has embarked on a renewal of its own. The Neue Kranzlereck on Kurfürstendamm, a glass complex that houses offices and retail facilities, whose hypermodern design by German-American architect Helmut Jahn is first of its kind this district, is a case in point. Other new buildings, on Breitscheidplatz or around the Zoologischer Garten station, are part of a plan to reinvigorate the old centre.

The Kurfürstendamm, the main artery of West Berlin, is struggling to hold on to its once legendary reputation. For the countless bars and restaurants, cabaret and variété venues, the small theatres, like the Nelson Theatre where Josephine Baker danced in a banana mini-skirt in the 1920s, the innumerable cinemas and coffee houses – among them the Romanische Café and the Café des Westens, both famous artists' hangouts, not to forget the Café Kranzler – are mere memories today.

While the entertainment venues of the world-famous boulevard may have disappeared, the commercial allure of the 'Kudamm', still Berlin's most important retail strip at a length of three kilometres, is as strong as ever. The KaDeWe on Wittenbergplatz is still a renowned institution that attracts countless visitors from all parts of the world as the exclusive department store of Berlin. And with the Schaubühne on Lehniner Platz, almost at the opposite end of the Kurfürstendamm, West Berlin boasts not only an important architectural monument of the 'Golden Twenties', but also one of the city's most interesting stages for contemporary avant-garde productions.

The old West also continues to be a favourite residential choice for what is euphemistically referred to as having "a good address". The foundation of the Reich in 1871 was followed by tremendous urban expansion and in the late 19th century new, elegant residential neighbourhoods emerged in Schöneberg, Wilmersdorf and Charlottenburg. Stars, upper middle class families and the 'nouveau riche' moved from what was then 'old' Berlin into the luxurious foundation-period homes of the 'new West', making Charlottenburg – which was then still an autonomous community – into one of the wealthiest communities of Europe at the beginning of the 20th century. Despite the catastrophic destruction wrought by the bombing raids in the Second World War, many historic villas have survived on Kurfürstendamm, along its beautiful and elegant side streets and in its adjacent districts.

Depuis quelques années, l'Ouest de la ville n'a pas la vie facile. Depuis la chute du mur et la réunification des deux moitiés de la ville, Berlin-Ouest doit affronter une forte concurrence. En effet, l'attention des Berlinois et des visiteurs s'oriente désormais essentiellement vers le centre de Berlin, où apparaissent de nouveaux lieux commerciaux et culturels — un formidable boom architectural transforme la cité à une allure époustouflante.

Pour ne pas se retrouver à l'écart, l'Ouest de la ville a lui aussi commencé à refaire peau neuve. En témoigne par exemple le Neues Kranzlereck, sur le Kurfürstendamm, un complexe de bureaux et de commerces, conçu tout en verre dans un style hyper-moderne, et inhabituel pour le quartier, par l'architecte germano-américain Helmut Jahn.

D'autres nouvelles constructions, comme sur la Breitscheidplatz près de la Kaiser-Wilhelm-Gedächtniskirche, rajeuniront bientôt l'ancien centre. Les environs de la gare Zoologischer Garten vont également être embellis au cours des prochaines années, grâce à de nouveaux bureaux et magasins.

Le Kurfürstendamm, artère principale de Berlin-Ouest, doit défendre sa vocation autrefois légendaire. En effet, les innombrables bars et bistrots, cabarets et théâtres de variété, comme le Nelson-Theater où se produisait Josephine Baker dans les années 1920, les nombreux cinémas et cafés — parmi lesquels le Romanisches Café et le Café des Westens, tous deux célèbres rendez-vous d'artistes, sans oublier le Café Kranzler — sont indissociables de cette légende.

Même si tous les lieux de divertissement de ce boulevard mondialement célèbre ont disparu peu à peu, l'attrait du « Kudamm » est resté le même et ces trois kilomètres constituent toujours le secteur commerçant le plus important de Berlin.

Le grand magasin KaDeWe, sur la Wittenbergplatz, est aujourd'hui encore une institution de renommée mondiale dont la vocation d'être *le* grand magasin par excellence de Berlin attire d'innombrables visiteurs, venus de tous les coins du monde.

Avec la Schaubühne sur la Lehniner Platz, pratiquement à l'autre bout du Kurfürstendamm, Berlin-Ouest possède non seulement un important témoignage architectural de l'âge d'or des années 1920, mais aussi une des salles de théâtre les plus intéressantes de la ville pour l'avant-garde contemporaine.

L'ancienne partie ouest reste un quartier d'habitation très apprécié. Après la fondation de l'Empire en 1871 s'amorça une immense croissance urbaine et, à la fin du XIXᵉ siècle, Schöneberg, Wilmersdorf et Charlottenburg constituaient des quartiers résidentiels nouveaux et distingués. Beau monde, haute bourgeoisie et « nouveaux riches » quittèrent alors le vieux Berlin pour aller s'installer dans les luxueuses demeures du « nouvel Ouest » construites pendant les années de fondation de l'Empire. C'est ainsi que Charlottenburg, encore autonome à cette époque,

die Bomben des Zweiten Weltkriegs ist eine stattliche Anzahl historischer Wohnhäuser am Kurfürstendamm, seinen schönen, eleganten Seitenstraßen und den angrenzenden Bezirken erhalten geblieben.

Bei einem Spaziergang durch die Viertel stößt man häufig auch auf Adressen berühmter früherer Bewohner: Der Arzt und Bakteriologe Robert Koch bezog 1905 eine Wohnung am Kurfürstendamm 52, der 1933 emigrierte Schriftsteller Heinrich Mann hatte seine letzte deutsche Adresse in der Fasanenstraße 61 und der Maler George Grosz lebte nach dem Zweiten Weltkrieg am Savignyplatz 5.

Der Westen der Stadt besitzt auch eines der schönsten und bedeutendsten Baudenkmäler Berlins: Das mit einer Front von 505 Metern imposante Schloss Charlottenburg, an dem, trotz seiner einheitlichen Gesamtwirkung, die Geschmäcker vieler preußischer Könige abzulesen sind und das besonders nach der sinnlosen Vernichtung des Berliner Stadtschlosses am Lustgarten ein unersetzliches Beispiel barocker Baukunst ist. Auch der barocke, in einen weitläufigen Landschaftspark übergehende Schlossgarten, zugleich eine ›grüne Lunge‹ für den Wohnbezirk Charlottenburg, ist einmalig in Berlin.

Der zentrale Park Berlins aber ist der großzügige Tiergarten mit Rasenpartien, kleinen Seen, romantischen Inseln und historischen Skulpturen. Schon seit mehr als 200 Jahren ist er als öffentlicher Park allen Berlinern zugänglich.

Er erstreckt sich gleichsam zwischen den Zentren West- und Ostberlins; seine Hauptachse, die Straße des 17. Juni mit der Siegessäule, führt bis zum Brandenburger Tor im Osten, das bis 1989 die Staatsgrenze zur DDR bildete.

Eine Besonderheit im Westteil der Stadt ist der Flughafen Tempelhof, ein monumentales bauliches Zeugnis des nationalsozialistischen Regimes, das Berlin zur überdimensionalen Reichshauptstadt ›Germania‹ ausbauen wollte. Wegen seiner zentralen innerstädtischen Lage ist er bis heute beliebt und seine drohende Schließung wird besonders von Geschäftsreisenden bedauert.

Zum Westen gehört auch der Handel auf internationalem Niveau: Im Stadtbezirk Charlottenburg befindet sich das große Messezentrum rund um den Funkturm. Mit dem ICC, dem Internationalen Congress Centrum, liegt dort auch der große Tagungsort Berlins. Weltniveau hat Westberlin auch mit seinem nach dem Zweiten Weltkrieg erbauten Kulturforum, das – heute etwas im Schatten des neubebauten Potsdamer Platzes – am südlichen Rand des Tiergartens liegt. Trotz Konkurrenz aus der ›neuen Mitte‹, wo sich die Traditionshäuser seit der Wiedervereinigung der Stadt neu etablieren: Die Philharmonie am Kulturforum besteht parallel zum alten Konzerthaus am Gendarmenmarkt als herausragende musikalische Stätte weiter. Die Staatsbibliothek, als Ergänzung zum östlichen Stammsitz Unter den Linden, ist eine moderne Wissenschaftsbibliothek von internationalem Rang, und die hier angesiedelten Museen werden auch nach der Sanierung der Museumsinsel in Berlin-Mitte ihre Anziehungskraft bewahren. Die Metropole Berlin kann auf allen Gebieten mehrere Zentren verkraften, und der ›alte Westen‹ braucht sich durchaus nicht zu verstecken.

It is not unusual to pass by the home of a famous former resident when strolling through the quarter. The physician and bacteriologist Robert Koch moved into an apartment on Kurfürstendamm 52 in 1905; the writer Heinrich Mann, who emigrated in 1933, had his last German residence on Fasanenstrasse 61 and the painter George Grosz lived on Savignyplatz 6 after the Second World War.

West Berlin is also home to one of the city's most beautiful and important monuments: Charlottenburg Castle with an imposing 505-m-long front, which still reflects the tastes of many Prussian kings despite the uniformity of its overall appearance, and is all the more significant as an example of Baroque architecture after the senseless destruction of the Stadtschloss (or city castle) at the Lustgarten. The Baroque gardens, which merge into an expansive landscape park and are Charlottenburg's "green lung", are unique in Berlin.

But Berlin's principal park is the large Tiergarten with lawns, small lakes, romantic islands and historic sculptures. It has been a public park open to all residents of Berlin for over 200 years. The park stretches between the centres of East and West Berlin; its main axis, the 'Straße des 17. Juni' with the victory column, extends all the way to the Brandenburg Gate in the east, which marked the border to the GDR until 1989.

Tempelhof airport is a unique feature in the western sector of the city, a monumental architectural testament to the National Socialist regime and its ambition of expanding Berlin into the oversized "Germania" as the national capital. The central downtown location has ensured the airport's enduring popularity and business travellers, especially, regret its impending closure.

The West is also a hub for international trade: the large trade fair centre near the communications tower is located in Charlottenburg. And the ICC, the Internationales Congress Centrum, makes this into Berlin's principal conference location. West Berlin also attained international status with the Kulturforum developed after the Second World War on the southern edge of the Tiergarten, even though it is somewhat overshadowed today by the new development on Potsdamer Platz. Despite competition from the new 'Mitte' district, where traditional establishments have been regrouping since reunification, the Philharmonie am Kulturforum continues to share the spotlight with the old concert hall on the Gendarmenmarkt as an outstanding musical institution. The Staatsbibliothek, a modern research library of international rank, is an addition to the original library on the east end of Unter den Linden. Together with the museums grouped in this area, it will no doubt continue to be a major attraction even after the Museum Island in Berlin-Mitte is fully restored. The metropolis of Berlin can easily handle several centres in all fields, and the 'old West' has no trouble competing.

devint au début du XXᵉ siècle l'une des communes les plus riches d'Europe. Malgré les désastres causés par les bombardements de la Deuxième Guerre mondiale, de nombreux immeubles sont conservés sur le Kurfürstendamm et dans les jolies rues tout autour.

En flânant à travers ces quartiers, on tombe souvent sur les adresses d'anciens habitants illustres — le médecin et chercheur Robert Koch s'établit en 1905 au n° 52 du Kurfürstendamm ; l'écrivain Heinrich Mann vécut jusqu'à son émigration en 1933 au 61 de la Fasanenstrasse ; le peintre George Grosz, s'installa après la Deuxième Guerre mondiale au n° 5 de Savignyplatz.

C'est à l'ouest de la ville que se trouve également l'un des monuments historiques de Berlin les plus beaux et les plus importants : l'imposant château de Charlottenburg, avec sa façade de 505 mètres, révèle malgré son homogénéité les goûts de nombreux rois de Prusse et offre un exemple unique d'architecture baroque – notamment après la destruction insensée du Château de Berlin (Stadtschloss), près du Lustgarten. Le jardin baroque qui finit par se fondre en un large parc paysager, offrant ainsi un espace vert au quartier résidentiel de Charlottenburg, est unique en son genre à Berlin.

Le parc le plus important de Berlin reste cependant le vaste Tiergarten, avec ses tapis de gazon, ses petits lacs, ses coins romantiques et ses sculptures historiques. Depuis plus de 200 ans déjà, ce parc public est accessible à toute la population berlinoise. Il s'étend en quelque sorte du centre de Berlin-Ouest jusqu'à celui de Berlin-Est ; son axe principal, la Strasse des 17. Juni, mène de la Siegessäule jusqu'au Brandenburger Tor à l'est, qui marquait la frontière avec la RDA jusqu'en 1989.

L'aéroport de Tempelhof, monumental témoignage architectural du régime national-socialiste qui voulait faire de Berlin la capitale surdimensionnée du Reich (« Germania »), est lui aussi une particularité de la partie ouest de la ville. Situé en plein centre, il reste très apprécié, et en particulier les hommes d'affaires déplorent sa fermeture imminente.

L'Ouest, c'est aussi le commerce de niveau international : dans le quartier de Charlottenburg se trouve, tout autour du Funkturm (tour radio), l'important centre des foires et expositions, ainsi que l'ICC (Internationales Congress Centrum), le grand lieu des congrès berlinois.

À Berlin-Ouest se trouve le Kulturforum, construit après de la Deuxième Guerre mondiale du côté sud du Tiergarten — aujourd'hui un peu dans l'ombre des tout récents édifices de Potsdamer Platz. Malgré la concurrence du « nouveau centre », où, depuis la réunification, s'établissent à nouveau les adresses traditionnelles, la Philharmonie se maintient comme excellente salle de concert à côté de l'ancienne Konzerthaus am Gendarmenmarkt. La Staatsbibliothek, annexe de la maison mère à l'est sur Unter den Linden, est une bibliothèque scientifique moderne de rang international, et les musées domiciliés alentour garderont certainement leur attrait même après la rénovation de la Museumsinsel.

La métropole berlinoise peut, dans tous les secteurs, supporter plusieurs centres, et l'« ancien Ouest » de Berlin ne fait nullement mauvaise figure.

Bahnhof Zoologischer Garten und Tiergarten

Zoologischer Garten Station and Zoo

La gare Zoologischer Garten et le Tiergarten

Im Berlin der Nachkriegszeit und erst recht nach dem Bau der Mauer wurde der Bahnhof Zoologischer Garten der Hauptbahnhof Westberlins, und noch immer steigt man hier aus, wenn man in das Zentrum der Stadt möchte.

Seine wichtige Funktion als City-Bahnhof wird der ›Bahnhof Zoo‹, wo sich neben den Fernzügen auch U- und S-Bahn kreuzen, mit der Fertigstellung des Lehrter Bahnhofs, des neuen Berliner Großbahnhofs, demnächst verlieren.

Vorerst aber kann man die Fasanenstraße mit der neuen Börse (S. 13, links erkennbar am Tonnendach), die Technische Universität und den Kurfürstendamm in wenigen Minuten Fußweg erreichen. Ebenso schnell ist man – eine Kuriosität Berlins – im Zoologischen Garten, dem der Bahnhof seinen Namen verdankt, und in Berlins ›Centralpark‹, dem weitläufigen Tiergarten. Einst weit vor den Toren der Stadt gelegen, diente er als kurfürstliches Jagdrevier. Friedrich II. öffnete ihn als Park der Bevölkerung.

Das Bahnhofsgebäude, eine schöne Stahlkonstruktion aus den 1930er Jahren, wurde 1987–1990 modernisiert. Die etwas heruntergekommene Ecke rund um den Bahnhof soll durch Neubauten, darunter einige Hochhäuser, in den nächsten Jahren ein reizvolleres Gesicht bekommen.

In post-war Berlin and especially after the building of the Berlin Wall, the Zoologischer Garten station became West Berlin's main station, and it is still the station where people disembark for easy access to the city centre.

"Bahnhof Zoo" will soon have to relinquish its important role as a central station where interregional trains and subway trains intersect when the Lehrter station is completed as Berlin's new principal station.

For now, one can still reach the Fasanenstraße with the new stock exchange (see the barrel-roofed structure in the image, left), the Technische Universität and the Kurfürstendamm on foot in a few minutes. The station lies a short distance – a rare treat in Berlin – from the Zoologischer Garten, after which it is named, and Berlin's equivalent to "Central Park", the extensive grounds of the Tiergarten. Once upon a time, this park lay beyond the city gates and served as a hunting ground for the Electors. Frederick II (the Great) opened the park to the public.

The station terminal, a stunning 1930s steel construction, was modernised from 1987–1990. The somewhat run-down area in the direct vicinity of the station is slated for urban renewal in the coming years, with new buildings planned, among them several high-rises.

Après-guerre, et à plus forte raison après la construction du Mur, la gare Zoologischer Garten devint la gare principale de Berlin-Ouest, et aujourd'hui encore c'est ici que l'on descend quand l'on veut se rendre dans le centre-ville.

Le Bahnhof Zoo, où trains de grandes lignes et réseaux de chemin de fer métropolitains (trains de banlieue et métro) se côtoient, perdra prochainement sa fonction de gare du centre-ville qui reviendra à Lehrter Bahnhof, la nouvelle grande gare berlinoise bientôt achevée.

Pour l'instant encore, on atteint en quelques minutes à pied la Fasanenstrasse, où se trouve la nouvelle Bourse (que l'on reconnaît à gauche avec son toit en berceau), la Technische Universität et le Kurfürstendamm. On est tout aussi vite aux portes du jardin zoologique — véritable curiosité berlinoise qui a donné son nom à la gare — ainsi que le « Central parc » de Berlin, le Tiergarten. Situé jadis loin en dehors de la ville, il servait de réserve de chasse aux princes électeurs. Frédéric II (le Grand) en fit un parc ouvert à la population.

La gare, dont la belle structure métallique date des années 1930, a été modernisée entre 1987 et 1990. Les environs de la gare, plutôt délabrés, devraient être revalorisés par quelques nouveaux immeubles, dont certains gratte-ciel, au cours des prochaines années.

Seine heutige Form als Landschaftspark erhielt der Tiergarten im 19. Jahrhundert. Jede Epoche aber gestaltete und nutzte ihn nach ihrem Geschmack: Wo einst elegante Spaziergänger flanierten, wird heute gern gegrillt.
Die Kongresshalle von 1957, für Berliner die ›schwangere Auster‹, ist heute das Haus der Kulturen der Welt.

The current landscape design of the Tiergarten Park dates back to the 19th century. Picnicking families now gather on the lawns where elegant flâneurs *once strolled. The Congress Centre from 1957, nicknamed the "pregnant oyster" by Berliners, is now the so-called "Haus der Kulturen der Welt", or House of World Cultures.*

Le Tiergarten a pris sa forme actuelle de parc à l'anglaise au XIXe siècle. Cependant, chaque époque l'a façonné et exploité à son goût : jadis flânaient d'élégants promeneurs, aujourd'hui le goût est plus aux grillades.
La Kongresshalle, édifiée en 1957, héberge aujourd'hui le Centre des Cultures du monde.

KaDeWe

KaDeWe

KaDeWe

Das 1907 eröffnete Kaufhaus des Westens krönte den geschäftlichen Aufstieg des Unternehmers A. Jandorf, der neben Tietz und Wertheim um die Jahrhundertwende zu den ›Warenhauskönigen‹ gehörte. Dabei war die Eröffnung des Warenhauses ein Risiko gewesen, denn die Gegend um den Wittenbergplatz war damals noch ein reines Wohngebiet im ›Neuen Berliner Westen‹ – wenn auch mit einem großen Potential zahlungskräftiger Kundschaft.

Mit dem Bau des KaDeWe begann der Wandel der Tauentzienstraße von einer ruhigen gutbürgerlichen Wohngegend zu einer großstädtischen Geschäftsstraße, die heute mit dem Kurfürstendamm immer noch Berlins beliebtestes Einkaufszentrum ist.

Sein exquisites, in stilvoller Anmutung präsentiertes Warenangebot machte das KaDeWe neben den Galeries Lafayette in Paris und Harrods in London zu einer Institution von Weltrang, und noch heute gehört ein Besuch des Warenhauses zum Programm fast jedes Touristen.

Das Haus hat sein Gesicht immer wieder verändert. Schon Ende der 1920er Jahre wurde es um zwei Geschosse aufgestockt. Im Zweiten Weltkrieg schwer zerstört, ist es inzwischen auf sieben Etagen gewachsen. Zuletzt wurde es 2005 mit großem Aufwand modernisiert.

The Kaufhaus des Westens (or Department Store of the West, known as KaDeWe), opened in 1907, and was the crowning achievement in the career of entrepreneur A. Jandorf, who, in addition to Tietz and Wertheim, was one of the 'department store barons' at the turn of the century. And yet the opening of the department store had been a risk, for the district around Wittenbergplatz was then still a wholly residential area in the "new West of Berlin" – albeit with a well-to-do clientele close at hand. The construction of the KaDeWe launched the transformation of the Tauentzienstraße area from a tranquil bourgeois residential suburb into an urban retail artery. Next to Kurfürstendamm, this is still Berlin's most popular shopping district.

Exclusive goods stylishly presented soon established the KaDeWe as one of the leading international department stores, on par with the Galeries Lafayette in Paris and Harrods in London, and a visit to the department store is on the itinerary of most tourists even today.

The house has had many different faces. Two storeys were added as early as the 1920s. After severe damage in the Second World War, it rises to seven storeys high today. It was last thoroughly renovated and upgraded in 2005.

Le Kaufhaus des Westens (Grand Magasin de l'Ouest), inauguré en 1907, devait porter à son apogée l'expansion économique de l'entrepreneur A. Jandorf, l'un des trois « rois des grands magasins » avec Tietz et Wertheim, à la fin du XIXᵉ siècle. Pourtant, l'ouverture de ce magasin présentait un risque, puisque les alentours de la Wittenbergplatz, dans le « nouvel Ouest berlinois » étaient alors purement résidentiels — même si l'on pouvait s'attendre à trouver ici une clientèle aisée.

La construction du KaDeWe amorça la mutation de la Tauentzienstrasse : le quartier bourgeois et calme devint métropolitain et commerçant, et reste aujourd'hui avec le Kurfüstendamm le centre commercial le plus populaire de Berlin. Son choix de marchandises haut de gamme, présentées avec élégance, fit du KaDeWe une institution de même réputation mondiale que les Galeries Lafayette à Paris ou Harrod's à Londres. La visite de ce magasin est d'ailleurs aujourd'hui encore au programme de la plupart des touristes.

La maison a continuellement modifié son apparence. Dès la fin des années 1920, l'immeuble a été surélevé de deux étages. Gravement endommagé pendant la Deuxième Guerre mondiale, il s'élève aujourd'hui sur sept étages. En 2005, l'immeuble a été somptueusement modernisé une nouvelle fois.

Die Tauentzienstraße – hier eine Ansicht aus dem Jahr 1927 mit Blick auf die schon zum Kurfürstendamm gehörende Gedächtniskirche – galt früher als eine der schönsten Straßen Berlins. Dezent fügte sich das KaDeWe (links) zwischen die Gründerzeithäuser. Durch den U-Bahnhof Wittenbergplatz gab es ab 1913 eine gute Verkehrsanbindung.

The Tauentzienstrasse – in an image from 1927 with a view of the Gedächtniskirche, already part of the Kurfürstendamm at the time – was once one of Berlin's most beautiful streets. The KaDeWe was an understated presence between foundation-period villas. The Wittenberg subway station offered a good link to public transportation from 1913 onward.

La Tauentzienstrasse — vue ici en 1927 avec la Gedächtniskirche qui fait déjà partie du Kurfürstendamm — fut jadis l'une des plus belles rues de Berlin. Le KaDeWe s'intégra discrètement dans l'ensemble des demeures d'habitation. Grâce à la station de métro Wittenbergplatz ouverte en 1913, le quartier était désormais bien desservi.

Kurfürstendamm und Tauentzienstraße

Kurfürstendamm and Tauentzienstrasse

Kurfürstendamm et Tauentzienstrasse

»Unter den Bäumen des Kurfürstendamms flanierten die Leute, die Terrassen der Cafés waren dicht besetzt, und die Luft dieser goldfunkelnden Tage schien wie Musik zu schwingen.« Seinen Glanz hat der weltberühmte Boulevard im Zweiten Weltkrieg verloren, nach der Wende ist auch sein Nachkriegsruhm als Zentrum Westberlins verblasst. Noble Boutiquen beschränken sich auf den oberen Straßenteil. Der Massenkonsum und nicht der elegante Lebensstil, wie ihn der amerikanische Schriftsteller Thomas Wolfe nach einem Berlinbesuch im Mai 1936 beschrieb, steht heute im Vordergrund. Und trotzdem: Für viele Berliner ist er noch immer die erste Adresse und einfach der ›Kudamm‹.

Den Übergang der Tauentzienstraße in den Kurfürstendamm markiert die Kaiser-Wilhelm-Gedächtniskirche. Bis zum Mauerfall war sie das beliebteste Motiv Westberlins: Wahrzeichen der freien Welt und Mahnmal gegen den Krieg.

Ein Bombenangriff im November 1943 hatte den 1891–1895 errichteten Bau schwer getroffen. Dass der Turmrest erhalten blieb, ist den Berlinern zu verdanken. Sie protestierten gegen den Abriss, und Egon Eiermann beließ die Ruine 1961 als Gedenkhalle zwischen seinem flachen Kirchenneubau und dem neuen Kirchturm.

"People strolled beneath the trees on the Kurfürstendamm, the cafés were packed and the air of these golden days seemed to dance like music." The world-famous boulevard lost its glamour in the Second World War, and after reunification even its post-war glory as the centre of West Berlin has paled. Luxury boutiques flank only the upper section of the boulevard. Mass consumption is the driving force today and not the elegant lifestyle that American writer Thomas Wolfe described after a visit to Berlin in May of 1936. Still, many Berliners continue to regard the grand boulevard as the finest address in the city, and to most it is simply the 'Kudamm'.

The Kaiser-Wilhelm-Gedächtniskirche marks the transition from Tauentzienstrasse to Kurfürstendamm. It was Berlin's most popular city motif prior to the fall of the Wall: a symbol of the free world and an anti-war monument. A bombing raid in November 1943 had inflicted severe damage on the church built from 1891–1895.

The church tower owes its continued existence to the Berliners themselves. They protested plans to demolish the ruin, and in 1961 Egon Eiermann preserved it as a memorial between his flat new church structure and the new church tower.

« Les gens flânaient sous les arbres du Kurfürstendamm, les terrasses des cafés étaient pleines à craquer, et l'air de ces journées dorées semblait vibrer comme de la musique. »

Ce boulevard mondialement célèbre a perdu sa splendeur avec la Deuxième Guerre mondiale, et sa gloire d'après-guerre, comme centre de Berlin, s'est également estompée après la réunification. Les boutiques chic ne sont plus que dans la partie supérieure de la rue. Aujourd'hui, la consommation de masse a pris le dessus, et ce mode de vie élégant, décrit par l'écrivain américain Thomas Wolfe après sa visite à Berlin en mai 1936, a aujourd'hui disparu. Pour beaucoup de Berlinois, il reste tout simplement leur « Kudamm », un de leurs endroits préférés.

La Kaiser-Friedrich-Gedächtniskirche marque la transition entre la Tauentzienstrasse et le Kudamm. Jusqu'à la chute du Mur, cette église était l'emblème même de Berlin-Ouest — symbolisant à la fois le monde libre et la commémoration de la guerre.

Lors d'un raid aérien en novembre 1943, l'édifice (construit entre 1891 et 1895) fut gravement endommagé. Le maintien de la tour est redevable aux Berlinois eux-mêmes, qui s'opposèrent à sa démolition. Egon Eiermann laissa la ruine telle quelle, ajouta sa nouvelle église basse d'un côté et le nouveau clocher de l'autre, et en fit ainsi un lieu commémoratif.

Die Gedächtniskirche im Jahr 1905 und heute. Auf Initiative Bismarcks wurde der Kurfürstendamm in den 1880er Jahren zum Boulevard ausgebaut. Zuvor führte hier ein Reitweg zum Jagdschloss Grunewald. ›Namensgeber‹ der Tauentzienstraße (links) war Bogislav Friedrich Emanuel Graf von Tauentzien von Wittenberg (1760-1824), ein preußischer Militär.

The Gedächtniskirche in 1905 and today. In the 1880s the Kurfürstendamm was expanded into a boulevard upon Bismarck's initiative. A riding trail had once led along this route to the royal hunting lodge Grunewald. The Tauentzienstrasse (left) is named after Count Bogislav Friedrich Emanuel von Tauentzien von Wittenberg (1760–1824), a Prussian officer.

La Gedächtniskirche en 1905 et aujourd'hui. Sur une initiative de Bismarck, le Kurfürstendamm fut aménagé en boulevard vers 1880. Jusque-là, une allée cavalière menait au pavillon de chasse de Grunewald. La Tauentzienstrasse (à gauche) a été nommée d'après le militaire prussien Bogislav Friedrich Emanuel Comte von Tauentzien von Wittenberg (1760-1824).

Neues Kranzlereck

Neues Kranzlereck

Neues Kranzlereck

Der Kurfürstendamm soll ›modernisiert‹ werden, denn in den letzten Jahren hat er mit den neuen Einkaufszentren wie den Potsdamer-Platz-Arkaden oder den Friedrichstadt-Passagen ernsthafte Konkurrenz bekommen. Auftakt für eine städtebauliche Erneuerung ist der Bürokomplex, den der Deutsch-Amerikaner Helmut Jahn, in Berlin bekannt als Architekt des Sony-Centers, 1997–2001 hier errichtet hat. Gleichermaßen ungewöhnlich für diese Ecke ist die gläserne Architektur des Gebäudes und die 50 Meter hohe, spitzzulaufende Hochhausscheibe. Das alte zweistöckige Gebäudeareal aus den 1950er Jahren fiel der Neubebauung zum Opfer, nur der Bauteil an der Ecke Kurfürstendamm/Joachimsthaler Straße blieb unangetastet. Hier befand sich das legendäre Café Kranzler, das kein gewöhnliches Café, sondern ›das‹ Kaffeehaus Westberlins gewesen ist, dessen altmodischer Charme berühmt und beliebt war. Obwohl man den Namenszug, nun auf dem Dach des Pavillons, wieder aufgesetzt hat: Das Kranzler gibt es nicht mehr. Wo früher auf zwei Etagen Sahnetörtchen gegessen wurden, kleidet man sich heute ein. Nur in dem runden Pavillon, der mit seiner rot-weißen Markise ein Wahrzeichen bleiben soll, gibt es ein neues Lokal.

Plans are underway to modernise the Kurfürstendamm: in recent years it has met with serious competition from new shopping centres such as the Potsdamer Platz and Friedrichstadt arcades. Urban renewal has begun with the office complex (1997–2001) designed by the German-American architect Helmut Jahn, known in Berlin for his Sony Center. The glass architecture of the building and the 50-m-high, steepled high-rise panel introduces an entirely new feature to this corner. The old, two-storey-high 1950s structure fell victim to the new development; only the section at the corner of Kurfürstendamm/Joachimsthaler Strasse was left untouched. This was the site of the legendary Café Kranzler – no ordinary café but the coffee house in West Berlin, whose old-fashioned charm was both famous and popular. Although its sign was remounted on the roof of the pavilion, the Kranzler no longer exists. Today, customers shop for new clothes where cream puff pastry was once served. There is a new restaurant in the round pavilion, its red-and-white awning a symbolic gesture that serves as a reminder of the historic café.

Le Kurfürstendamm doit être « modernisé », car il a subi ces dernières années une sérieuse concurrence avec les galeries marchandes de Potsdamer Platz et Friedrichstadt. Le début de ce renouveau urbanistique est marqué par l'ensemble de bureaux que l'architecte germano-américain Helmut Jahn, déjà connu à Berlin pour son Sony-Center, a construit ici entre 1997 et 2001. Que ce soit l'architecture en verre de l'immeuble finissant en pointe ou sa hauteur (50 m), le tout a quelque chose d'inhabituel pour ce quartier. Les anciens immeubles de deux étages, datant des années 1950, ont été supplantés par les nouveaux édifices, seule reste intacte la partie située à l'angle Kurfürstendamm/Joachimsthaler Strasse. C'est ici que se trouvait le légendaire Café Kranzler, *le café* par excellence de Berlin-Ouest, dont le charme à l'ancienne fut longtemps connu et apprécié. Même si l'enseigne a été préservée sur le toit du pavillon, le Kranzler n'existe plus. Là où l'on dégustait jadis des tartes à la crème, on renouvèle aujourd'hui sa garderobe. Seul le pavillon rond avec ses marquises rouges et blanches, censé rester l'emblème des lieux, héberge désormais un nouveau bistrot.

Das Kranzler gab es seit 1825 in Berlin. Damals lag es Unter den Linden/Ecke Friedrichstraße. 1932 wurde das Café hier am Kudamm eröffnet, 1958 bezog es den heute denkmalgeschützen Nachkriegsbau. Bis 1921 lag an dieser Stelle das Café des Westens, ein Treffpunkt vieler Künstler wie Else Lasker-Schüler oder Oskar Kokoschka.

The Kranzler was established in Berlin in 1825 on Unter den Linden at the corner of Friedrichstrasse. In 1932 the café opened at this location on the Kudamm, and in 1958 it moved to the postwar building, now designated as a heritage building. Up until 1921 this was the site of the Café des Westens, a rendezvous for many artists like Else Lasker-Schüler or Oskar Kokoschka.

Le Kranzler existait depuis 1825 à l'angle Unter den Linden/Friedrichstrasse. Le café, inauguré en 1932, s'installa en 1958 dans un immeuble aujourd'hui classé.
Jusqu'en 1921 se trouvait ici le Café des Westens (Café de l'Ouest), point de rencontre de nombreux artistes comme Else Lasker-Schüler ou Oskar Kokoschka.

Bürgerliches Wohnen

Bourgeois Living

Habitat bourgeois

»Der Berliner Westen – diese elegante Kleinstadt, in welcher alle Leute wohnen, die etwas können, etwas sind und etwas haben und sich dreimal so viel einbilden, als sie können, sind und haben … .« So charakterisierte der gefürchtete Kritiker Alfred Kerr 1895 die Nobelgegend rund um den Kurfürstendamm. Als ›Neuer Westen‹ wurde sie Ende des 19. Jahrhunderts Mode und war bald eine ernsthafte Konkurrenz für den Traditionsboulevard Unter den Linden. Während dort allerdings von jeher Aristokraten lebten, siedelten sich hier wohlhabende Bürger an, auch viele Neureiche, die im Boom der Gründerzeit ihr Geld gemacht hatten.

Hochherrschaftliche Haushalte waren darunter, denn hinter den üppig dekorierten Fassaden – von Spöttern »Geschwürhäuser« genannt – lagen Wohnungen, die sich vom Vorderhaus bis in die Seitenflügel erstreckten und über acht bis zwölf Zimmer verfügten. Getrennte Aufgänge ›Für Herrschaften‹ und ›Für Dienstboten‹ waren üblich.

Ein Teil der Prachtbauten wurde im Zweiten Weltkrieg zerstört oder beschädigt. Luxuswohnungen sind die Ausnahme geworden. Viele hat man in kleinere Wohnungen unterteilt oder in Büros und Arztpraxen umgewandelt. Eine gehobene Wohngegend aber ist der ›Westen‹ geblieben.

"Berlin's west end – that elegant small town, home to all those who know something, are something and have something and who imagine that they know, are and have three times as much (…)." This is how the much feared critic Alfred Kerr characterised the affluent district on Kurfürstendamm in 1895. Toward the end of the 19th century it became a fashionable neighbourhood known as the 'new West' and soon competed successfully with the more traditional Unter den Linden. While that neighbourhood had been home to the aristocracy from the very beginning, wealthy citizens settled in the new district, among them many nouveau riche who had made their money in the boom of the foundation period.

There were some grand households, for the lavishly decorated facades – mockingly called 'eyesores' by ordinary citizens – hid apartments that stretched from the front into the wings and had eight to twelve rooms. Separate 'master' and 'servant' entrances were standard features.

Some of these lavish buildings were destroyed or damaged in the Second World War. Luxury apartments have become a rarity. Many have been divided into smaller units or converted into offices and doctors' practices. But the 'West' is still an up-market neighbourhood.

« L'Ouest de Berlin, élégante petite cité, où vivent tous ceux qui font, sont et ont quelque chose, et qui croient en faire, être et avoir trois fois plus… »

C'est ainsi que, vers 1895, caractérisait le redoutable critique Alfred Kerr le quartier distingué des alentours du Kurfürstendamm. Sous le nom de « Nouvel Ouest », il devint chic à la fin du XIXᵉ siècle et fut bientôt un sérieux rival pour le traditionnel boulevard Unter den Linden.

Mais tandis que des aristocrates vivaient là-bas depuis toujours, ce sont des bourgeois aisés qui s'installèrent ici, et parmi eux beaucoup de nouveaux riches ayant fait fortune pendant la période de prospérité du « Gründerzeit ». On y trouvait des foyers somptueux, et des façades richement décorées (de ce fait aussi souvent raillées) dissimulaient des appartements immenses, de huit à douze pièces, avec entrée séparée pour les domestiques.

Une partie de ces superbes édifices a été détruite ou tout au moins endommagée pendant la Deuxième Guerre mondiale. Les appartements de grand standing sont devenus exceptionnels ; beaucoup ont été soit subdivisés soit transformés en bureaux et cabinets médicaux. L'Ouest est néanmoins resté un secteur résidentiel de haut niveau.

Immer wieder zogen der Kurfürstendamm und seine schicken Nebenstraßen prominente Bewohner an. Das Foto zeigt den Kurfürstendamm 186, in dem von 1922–1932 der damals sehr populäre Komponist Rudolf Nelson wohnte. Am Kurfürstendamm 217 betrieb er sein Nelson-Theater, für dessen Revuen Kurt Tucholsky zahlreiche Texte schrieb.

The Kurfürstendamm and its chic side streets have always attracted prominent residents. The photo shows Kurfürstendamm 186 where the popular composer Rudolf Nelson lived from 1922–1932. He ran the Nelson Theatre at Kurfürstendamm 217, and Kurt Tucholsky wrote numerous scripts for the revues performed on its stage.

Le Kurfürstendamm et ses élégantes rues latérales ont toujours attiré le beau monde. La photo montre la maison du n° 186, où habita entre 1922 et 1932 le compositeur Rudolf Nelson, alors très populaire. Il avait son théâtre, le Nelson-Theater (pour lequel Kurt Tucholsky écrivit de nombreuses pièces), au n° 217 du Kurfürstendamm.

Schaubühne

Elegant geschwungene Fassaden waren das Marken-
zeichen von Erich Mendelsohn, einem der prominen-
testen Avantgarde-Architekten im Deutschland der
1920er Jahre. Mit diesem Gebäude am Kurfürstendamm – es beherbergte einst eine Ladenzone und
das Großkino Universum – hat er 1926–1928 eines
der schönsten baulichen Zeugnisse der Weimarer
Republik geschaffen. Es gehörte damals zu einem
Baukomplex aus Geschäften, Kabarett-Theater,
Apartmenthotel und Wohnblock.

Bei der Rekonstruktion des kriegszerstörten
Gebäudes 1976–1981 hat man nur die geschwungene
Klinkerfassade mit dem zeittypischen Fensterband
wiederhergestellt. Die Innenräume wurden für das
Theater Schaubühne eingerichtet, wobei die Laden-
zone jetzt als Foyer und Kassenhalle dient.

Das Theater hat Weltruf: Begründet hat ihn das
Ensemble um Peter Stein, das eine neue Form der
Theaterarbeit auf der Basis demokratischer Mitbe-
stimmung aller Mitglieder erprobte. Auch die Insze-
nierungen der späteren Theaterchefin Andrea Breth,
die von der antiken Tragödie über Goethe und Čechov
ein großes Spektrum der Theatergeschichte umfas-
sten, fanden große Beachtung. Auch *Supermarket*,
ein Stück der Serbin Biljana Srbljanovic, wurde 2001
an der Schaubühne aufgeführt.

Schaubühne

*Elegantly curved facades were trademark features in
the designs of Erich Mendelsohn, one of the most prominent avant-garde architects in 1920s Germany. From
1926–1928 he created one of the most beautiful architectural monuments to the Weimar Republic with this
building on Kurfürstendamm – it used to accommodate
shops and the large Universum cinema. At the time,
the building was integrated into a complex comprising
a variety of retail stores, cabarets, an apartment hotel
and a housing block.*

*When the destroyed building was reconstructed
in 1976–1981, all that was re-created was the curved
clinker brick facade with the window ribbon that was
typical of the era. The interior was converted into a
space for the Schaubühne Theatre, with the former
retail areas serving as lobby and box-office.*

*The theatre is world renowned: it was founded by
the ensemble led by Peter Stein, and experimented
with a new form of theatre work based on the demo-
cratic participation and co-determination of all its
members. The productions staged by the subsequent
artistic director Andrea Breth, which ranged from
Greek tragedy to Goethe and Chekhov, encompassed
a broad spectrum of the dramatic tradition and were
as acclaimed as the founder's work had been.* Supermarket, *a play by Serbian playwright Biljana Srbljanovic, was also performed at the Schaubühne in 2001.*

Schaubühne

C'est à ses façades élégantes et arquées que l'on
reconnaît la griffe d'Erich Mendelsohn, l'un des plus
grands architectes d'avant-garde dans l'Allemagne
des années 1920. Avec cet édifice sur le Kurfürstendamm — qui abritait jadis des magasins et le grand
cinéma Universum — il a créé entre 1926 et 1928
l'un des plus beaux témoignages architecturaux de
la République de Weimar. Il était alors parmi un ensemble d'immeubles comprenant commerces, cabaret, hôtel-résidence et logements.

De 1976 à 1981, lors de la reconstruction de l'immeuble (détruit pendant la guerre), on s'est limité à
restituer la façade arquée en briques cuites ainsi que
les fenêtres typiques de l'époque. L'intérieur a été
arrangé pour le théâtre « Schaubühne », la galerie
marchande sert maintenant de hall.

Ce théâtre, mondialement renommé, a été fondé
par l'ensemble de Peter Stein qui cherchait à établir
une nouvelle forme de cogestion démocratique
parmi tous les membres de la troupe. Andrea Breth,
qui dirigea ce théâtre plus tard, y réalisa des mises
en scène fort remarquées, qu'il s'agisse de tragédies
grecques, d'œuvres de Goethe ou de Tchekhov. On a
pu y voir en 2001 la pièce *Supermarket* de la drama-
turge serbe Biljana Srbljanovic.

Das Foto ist ein Szenenbild aus Sasha Waltz' Tanzstück
Körper, das hier am 22. Januar 2000 uraufgeführt wurde.

The photograph shows a scene from Sasha Waltz's dance piece
Körper (Body), *which premiered on January 22, 2000.*

La photo montre une scène de la pièce dansée *Körper* de
Sasha Waltz, créée ici le 22 janvier 2000.

Funkturm und ICC

Funkturm und Fernsehturm, die Wahrzeichen West- und Ostberlins, sind markante Punkte in der Stadtsilhouette.

Als ›kleiner Eiffelturm‹ wurde der Funkturm gefeiert, als man ihn 1926 im Rahmen der *3. Deutschen Funkausstellung* inmitten des Berliner Messezentrums einweihte. Mit 150 Metern Höhe ist er genau halb so hoch wie sein Pariser Vorbild.

Er diente als Antennenträger für Rundfunksendungen; 1929 wurde hier sogar das erste Fernsehbild ausgestrahlt. Heute wird er für Polizei- und Taxifunk genutzt.

Seine Bedeutung als Zeichen technischen Fortschritts wurde später übertroffen durch seine politische Symbolik, denn nach dem Mauerbau galt der Funkturm als Wahrzeichen Westberlins.

Die DDR setzte dagegen und errichtete 1965–1969 den Fernsehturm, der auch im Westteil von vielen Standpunkten aus zu sehen ist. Auch wenn das Panorama die Proportionen etwas verschiebt: Mit 368 Metern ist er mehr als doppelt so hoch wie der Funkturm.

Das zu Füßen des Funkturms gelegene Internationale Congress Centrum ICC (unten links) wiederum verkörpert das selbstbewusste Westberlin der 1970er Jahre, das sich mit dem riesigen Tagungsort mit Sitzungssälen für 5000 Personen als wichtige Kongress-Stadt anbietet.

Funkturm and ICC

The Funkturm (radio tower) and the Fernsehturm (TV tower), the landmarks of West and East Berlin, are distinctive markers in the urban skyline.

The radio tower was celebrated as a 'small Eiffel Tower' at its inauguration in the centre of Berlin's exhibition grounds in 1926 on the occasion of the 3. Deutschen Funkausstellung. Rising to 150 metres, it is precisely half the height of its Parisian forerunner.

The antennae for radio transmission were mounted on the tower and in 1929, the first television image was transmitted here. Today its use is reserved for police and taxi radio transmission.

The significance of the tower as a symbol for progress in technology was later overshadowed by its political symbolism: after the construction of the Wall, the radio tower became the landmark of West Berlin.

The GDR responded with a landmark of its own and erected the TV tower, visible from many districts in the western sector, from 1965–1969. Although the panorama distorts the proportions somewhat, at 368-m-high it is more than twice the height of the radio tower.

The Internationale Congress Centrum, or ICC (below left), at the foot of the radio tower embodies the self-confidence of West Berlin in the 1970s. The city advertised itself as an important conference city with this gigantic congress centre that houses conference halls with a capacity for 5,000 people.

Funkturm et ICC

La tour radio et la tour de télévision, emblèmes chacune de Berlin-Ouest et de Berlin-Est, sont des points marquants dans la physionomie de la ville.

Lors de son inauguration en 1926, dans le cadre du *3ᵉ Salon allemand de la radio* au centre des foires et des expositions de Berlin, la tour radio fut baptisée la « petite tour Eiffel ». Avec ses 150 mètres de haut, elle fait tout juste la moitié de son modèle parisien.

Cette tour devait servir d'antenne pour la retransmission radio ; c'est de là, d'ailleurs, que fut diffusée en 1929 la première image télé. Aujourd'hui, elle ne sert qu'à la police et aux taxis. D'abord symbole du progrès technique, elle prit encore plus d'importance en tant que symbole politique, car après la construction du Mur, elle devint l'emblème de Berlin-Ouest.

La RDA répliqua en érigeant, de 1965 à 1969, la tour de télévision, bien visible en de nombreux points, même côté ouest de la ville. Certes, le panorama déforme un peu les proportions, mais avec ses 368 mètres, elle est plus de deux fois plus haute que la tour radio.

Au pied de la tour radio, le « Internationales Congress Centrum » ICC (en bas à gauche) illustre, quant à lui, le Berlin-Ouest confiant des années 1970 : complexe de tout premier ordre, ce gigantesque lieu de congrès et de réunion peut accueillir 5 000 personnes.

Beide Bauten sind technische Leistungen ihrer Zeit. Der Funkturm wurde als Stahlfachwerk konstruiert; in der Mitte liegen offen die Treppenanlage und der Aufzugsschacht. Auch das ICC zeigt die Konstruktionselemente: Der Bau wird von außenliegenden Stahlträgern gestützt. Die Aluminium-Ummantelung betont das Maschinenhafte.

Both structures were technological feats of their time. The radio tower was constructed as a steel-frame structure; the stairwell and the elevator shaft lie exposed in the centre. The ICC too reveals structural elements to the eye: the building is supported by external steel girders. The aluminium skin emphasizes the machine-like character of the building.

Les deux constructions sont des prouesses techniques. Le Funkturm est une charpente métallique, au milieu de laquelle sont placés escalier et cage d'ascenseur. L'ICC prend appui sur des poutres métalliques disposées à l'extérieur. Le revêtement en aluminium souligne l'aspect technique.

Schloss Charlottenburg

Flankiert von den Borghesischen Fechtern auf den Torhäuschen betritt man den Ehrenhof mit dem ältesten Teil des Schlosses. Kurfürst Friedrich III. – ab 1701 erster König Preußens – ließ es 1695–1699 von Johann Arnold Nering und Martin Grünberg als Lustschloss für seine Frau errichten.

Die lebensfrohe und gebildete Sophie Charlotte machte das damals noch ganz ländlich gelegene Schloss zu einem Musenhof. »Alles, was lebhaft und gebildet ist, kommt an ihren Hof, und man sieht zwei Dinge, die die Welt sonst füreinander zuwider hält, in voller Einigkeit beisammen, die Studien und Lustbarkeiten«, berichtete ein Reisender.

In den wenigen Jahren ihrer Regentschaft – die Kurfürstin und spätere Königin starb 1705 mit nur 36 Jahren – zog sie auch den Philosophen Leibniz zur Gründung einer ersten Wissenschaftssozietät nach Berlin.

Das Erscheinungsbild des Schlosses wurde durch die preußischen Könige immer wieder verändert. 1702 begann die Erweiterung zur Dreiflügelanlage; später wurden Orangerie, Schlosstheater sowie der große Seitenflügel Friedrichs II. angebaut.

Der Barockcharakter jedoch blieb gewahrt. Heute ist es – nach der Sprengung des Stadtschlosses – das einzige große Hohenzollernschloss Berlins.

Charlottenburg Castle

Flanked by Borghesian fencers on the gatehouses, the visitor enters through the Ehrenhof courtyard into the oldest section of the castle. The Elector Frederick III – crowned the first king of Prussia in 1701 – commissioned the architects Johann Arnold Nering and Martin Grünberg to design a pleasure castle for his wife; it was constructed from 1695–1699.

Sophie Charlotte, an educated woman full of joie de vivre, *transformed the castle, then still located in a completely rural setting, into a court of muses. A traveller noted that "(…) All that is lively and erudite comes to her Court and one experiences two elements, regarded as contrary to one another elsewhere in the world, in complete unison: academia and diversion".*

During her brief regency, the Electoress and subsequent queen – who died in 1705 at a mere 36 years of age – also brought the philosopher Leibniz to Berlin to found the first scientific society.

The appearance of the castle underwent many changes by subsequent Prussian Kings. The expansion into a three-winged complex began in 1702; the 'Orangerie', theatre and the large side wing of Frederick II were added at a later date.

But the Baroque character remained intact. Today – after the demolition of the Stadtschloss – it is the sole surviving Hohenzollern castle in Berlin.

Le château de Charlottenburg

Après avoir laissé derrière soi les escrimeurs borghésiens sur les pavillons d'entrée, on pénètre dans la cour d'honneur qui donne sur la partie la plus ancienne du château. Le prince électeur Frédéric III — premier roi de Prusse à partir de 1701 — l'avait fait construire entre 1695 et 1699 par Johann Arnold Nering et Martin Grünberg comme château de plaisance pour son épouse.

Sophie-Charlotte, joyeuse et cultivée, fit de ce château, alors situé en pleine campagne, un lieu à vocation artistique. Un voyageur rapporta : « Toute personne ouverte et cultivée se rend à sa cour, où l'on peut voir réunies deux choses que le monde trouverait ailleurs contradictoires, l'érudition et le divertissement. »

Pendant ses quelques années de régence — la princesse et future reine mourut en 1705 à l'âge de 36 ans seulement —, elle parvint également à faire venir à Berlin le philosophe Leibniz pour fonder l'une des premières sociétés scientifiques.

L'apparence du château changea avec les différents rois de Prusse. En 1702, fut entreprise l'extension du bâtiment en un plan à trois ailes : une orangerie, un théâtre et l'aile latérale de Frédéric II. Le caractère baroque de l'édifice fut cependant conservé. Depuis la destruction du Stadtschloss, le château de Charlottenburg est désormais le seul grand château de la maison Hohenzollern à Berlin.

1943 brannten der Kernbau und Teile der Seitenflügel aus, und es gab Pläne, die Ruine abzureißen. Der damaligen Schlösserdirektorin ist es zu verdanken, dass das Schloss in langjähriger Arbeit – innen bis Ende der 1970er Jahre – wieder aufgebaut wurde. Der trotz seiner Verluste bedeutende Barockbau wird museal genutzt.

In 1943 the core structure and sections of the wings burnt to the ground and there were plans to demolish the ruin. It is thanks to the castle administrator of the time that it was reconstructed over many years – interior renovation works were only completed at the end of the 1970s. The important Baroque building is currently being used as a museum.

En 1943, un incendie détruisit le bâtiment central et plusieurs parties des ailes latérales. On envisagea alors de tout raser. Grâce à la directrice des châteaux de Berlin de l'époque, cet important témoignage baroque put cependant être reconstruit, moyennant plusieurs années d'effort (l'intérieur fut terminé à la fin des années 1970). Il sert aujourd'hui de musée.

Flughafen Tempelhof

Die Luftaufnahme zeigt die gewaltigen Ausmaße des Geländes. Schon die zentrale Abfertigungshalle ist 100 Meter lang. Die Flugsteighalle mit den anschließenden Hangars misst 1200 Meter.

Der ab 1936 von Ernst Sagebiel erbaute, bei Kriegsende noch nicht fertiggestellte sogenannte Zentralflughafen war seinerzeit der größte innerstädtische Flughafen der Welt und ist noch heute das größte Gebäude Europas. Als echtes Prestige-Objekt des NS-Regimes war er schon damals auf drei Millionen Fluggäste jährlich ausgelegt, eine Kapazität, die erst lange Zeit nach dem Krieg erreicht wurde. Mit seiner strengen Symmetrie und der inszenierten monumentalen Kälte ist er zugleich ein Musterbeispiel nationalsozialistischer Staatsarchitektur.

Später wurde der Flughafen ein Symbol des Kalten Krieges: Hier landeten die Flugzeuge während der Luftbrücke, und für viele, die die DDR nicht passieren konnten oder wollten, war er die Verbindung zur Welt.

Nach dem Bau des Berliner Großflughafens soll ›Tempelhof‹ geschlossen werden. Seine zukünftige Nutzung ist noch ungeklärt.

Vor dem Flughafen erinnert ein Denkmal in Form eines Brückensegments – von den Berlinern ›Hungerkralle‹ genannt – an die Luftbrücke.

Tempelhof Airport

This aerial shot shows the enormous dimensions of the site. The central terminal alone is 100 metres long. The departure hall with adjoining hangars reaches across 1,200 metres.

The so-called central airport, built by Ernst Sagebiel from 1936 onward and still unfinished at the end of the war, was the largest inner-city airport of its day and is still the largest building in Europe. A prestige object for the National Socialist regime, it was designed to handle three million passengers annually from the very beginning, a capacity that would not be achieved until many years after the war. Its severe symmetry and the staged monumental coldness also make the airport into a prime example of public architecture during the National Socialist era.

Later on the airport became a symbol of the Cold War: this is where the planes landed during the airlift and for many, who were unable or unwilling to travel through the GDR, it was a link to the world beyond.

'Tempelhof' is slated for closure once construction on the new international airport of Berlin is completed. Its future use remains undecided.

In front of the airport, a monument in the form of a bridge girder – dubbed 'claw of hunger' by Berliners – commemorates the airlift.

L'aéroport de Tempelhof

La vue aérienne montre bien les gigantesques dimensions du terrain. Le hall central s'étend sur 100 mètres, le hall d'embarquement et les hangars annexes sur 1200 mètres. Cet aéroport principal a été construit par Ernst Sagebiel à partir de 1936, il n'était pas encore achevé à la fin de la guerre.

À l'époque déjà, il était le plus grand aéroport du monde jamais construit au centre d'une ville ; il reste aujourd'hui le plus grand édifice d'Europe. Véritable objet de prestige du régime national-socialiste, il était conçu pour trois millions de passagers par an — l'objectif ne fut cependant atteint que longtemps après la guerre. Sa symétrie rigoureuse ainsi que son aspect froid et monumental font de lui un exemple typique de l'architecture national-socialiste officielle.

Plus tard, l'aéroport devint symbole de la guerre froide, car c'est ici qu'atterrissaient les avions du pont aérien, et pour beaucoup qui ne pouvaient ou ne voulaient passer par la RDA, il constituait la seule liaison avec le monde.

Quand la construction du nouveau grand aéroport berlinois sera terminée, Tempelhof fermera ses portes, sans que l'on sache encore quel avenir lui est réservé. Devant l'aéroport, un monument représentant un segment de pont — surnommé la « griffe de la faim » par les Berlinois — commémore la période du pont aérien.

Berliner sehen vom S-Bahnhof Tempelhof der Landung der Luftbrücken-Flugzeuge zu: Während der Luftbrücke vom 26. Juni 1948 bis 12. Mai 1949 als Folge der sowjetischen Blockade Westberlins landete in Tempelhof fast alle 90 Sekunden ein ›Rosinenbomber‹, um zwei Millionen eingeschlossene Menschen mit Lebensmitteln zu versorgen.

From the Tempelhof subway station, Berliners watch as planes land during the airlift from June 26, 1948 to May 12, 1949. Launched in response to the Soviet blockade of West Berlin, 'raisin bombers' touched down at Tempelhof airport almost every 90 seconds to supply food to two million stranded inhabitants.

Des Berlinois assistent à partir de la station Tempelhof à l'atterrissage des avions du pont aérien : du 26 juin 1948 jusqu'au 12 mai 1949, suite au blocus de Berlin par les soviétiques, des avions surnommés « Rosinenbomber » atterrirent presque toutes les 90 secondes pour ravitailler deux millions d'individus coupés du monde.

Kulturforum mit Scharoun-Bauten und Neuer Nationalgalerie

Kulturforum with the Scharoun Buildings and the Neue Nationalgalerie

Le Kulturforum avec les constructions de Scharoun et la Neue Nationalgalerie

Das Kulturforum ist ein Produkt des Kalten Krieges und der Teilung Berlins. Die alte Staatsbibliothek Unter den Linden und die großen Museen auf der Museumsinsel lagen damals, für Westberliner fast unerreichbar, im Ostteil der Stadt; die alte Berliner Philharmonie war zerstört.

Zwei Meisterwerke von Hans Scharoun, von dem auch die Idee für ein Kulturforum stammt, prägen den Charakter des Geländes bis heute: Die bizarre Zeltarchitektur der Philharmonie (S.31, 32), die dem Architekten 1963 Weltruf brachte, und die ähnlich konzipierte ›Leselandschaft‹ Staatsbibliothek (S.30 rechts), die 1978, sechs Jahre nach seinem Tod, fertiggestellt wurde.

Basierend auf einer Skizze Scharouns wurde 1984–1988 auch der Kammermusiksaal (S.31, Bildmitte) gebaut. 1985 entstand das Kunstgewerbemuseum von Rolf Gutbrod und 1998 die Gemäldegalerie von Hilmer & Sattler (beide S.31, Hintergrund).

Leider fehlt dem Gelände noch immer die Gesamtwirkung; es bleibt eine Ansammlung hervorragender solitärer Bauwerke. Durch die stark befahrene Potsdamer Straße ist vor allem die Staatsbibliothek von den restlichen Bauten isoliert. Ihr langgestreckter Baukörper riegelt das Areal außerdem gegen den neubebauten Potsdamer Platz ab.

The Kulturforum is a product of the Cold War and a divided Berlin. The old Staatsbibliothek library on Unter den Linden and the great museums on Museum Island were almost inaccessible to West Berliners during those years, in the east section of the city. The old Berlin Philharmonie had been destroyed.

Two masterpieces by Hans Scharoun, who was also the originator of the idea for a cultural forum, continue to define the character of the district to this day: the bizarre tent structure of the Philharmonie (see p. 31, 32), which earned the architect world renown in 1963, and the similarly conceived 'reading landscape' of the Staatsbibliothek (see p. 30, right), which was completed in 1978, six years after his death.

The chamber concert hall (see p. 31, centre of image) was realized from 1984–1988 after a sketch by Scharoun. The Kunstgewerbemuseum by Rolf Gutbrod was created in 1985, followed in 1998 by Hilmer & Sattler's Gemäldegalerie (picture gallery) (see p. 31, both structures in background of image).

Unfortunately the site has yet to come fully into its own; at the moment it is still a collection of outstanding solitary structures. The heavily travelled Potsdamer Strasse isolates the Staatsbibliothek from the other buildings. Moreover, the elongated fabric of the library creates a barrier between the site and the new development on Potsdamer Platz.

Le Kulturforum est un produit de la guerre froide et de la division de Berlin. L'ancienne Staatsbibliothek Unter den Linden et les grands musées de la Museumsinsel étaient alors dans la partie est de la ville, donc quasiment inaccessibles pour les Berlinois de l'Ouest ; l'ancienne Philharmonie était détruite.

Deux chefs-d'œuvre de Hans Scharoun, lequel eut l'idée d'un forum de la culture, ont marqué l'identité de ce secteur jusqu'à aujourd'hui : l'architecture insolite, en forme de tente, de la Philharmonie (p. 31, 32), qui valut sa réputation mondiale à l'architecte en 1963 ; la « Leselandschaft » (paysage de lecture) de la Staatsbibliothek (ci-dessous, à dr.), conçue de façon similaire, qui fut achevée en 1978, soit six ans après sa mort.

Le Kammermusiksaal (salle de musique de chambre) fut construit entre 1984 et 1988, également d'après un dessin de Scharoun (p. 31, au centre). En 1985, vit le jour le Kunstgewerbemuseum (musée des arts décoratifs) de Rolf Gutbrot et, en 1998, la Gemäldegalerie (galerie des peintures) de Hilmer & Sattler (tous deux p. 31, en arrière-plan).

Malheureusement, l'ensemble manque toujours de cohérence ; il n'est encore qu'un simple groupement d'édifices isolés, quoique remarquables. La Potsdamer Strasse, du fait de l'importante circulation, coupe surtout la Staatsbibliothek des autres bâtiments. Le volume allongé de celle-ci sépare en outre le terrain des nouvelles constructions de la Potsdamer Platz.

Die kleine St.-Matthäus-Kirche, 1844–1846 von Friedrich August Stüler, ist heute das letzte Zeugnis des noblen ›Geheimratsviertels‹, das sich hier im 19. Jahrhundert befand. Unabhängig von den Planungen für das Kulturforum wurde 1965–1968 die Neue Nationalgalerie von Ludwig Mies van der Rohe erbaut (im Hintergrund).

The small St.-Matthäus-Kirche, erected from 1844–1846 by Friedrich August Stüler, is the last surviving monument of the elegant 19th-century 'Geheimratsviertel'. Independent of the plans for the Kulturforum, the Neue Nationalgalerie (in background) by Ludwig Mies van der Rohe was built from 1965–1968.

L'église Sankt-Matthäus, construite en 1844-1846 par Friedrich August Stüler, est aujourd'hui le dernier témoignage du « quartier des conseillers privés » qui se situait ici au XIXᵉ siècle. La Neue Nationalgalerie (à l'arrière-plan) a été construite entre 1965 et 1968 par Ludwig Mies van der Rohe, indépendamment du projet du Kulturforum.

Die Neue Nationalgalerie – Spätwerk und einziger deutscher Nachkriegsbau des 1938 in die USA emigrierten Ludwig Mies van der Rohe – ist ein spektakuläres Gebäude: Eine 2430 Quadratmeter große Glashalle, deren Stahldach nur von außenliegenden Stützen getragen wird. Die Gemäldesammlung liegt im Sockel dieses modernen ›Tempels‹.

The Neue Nationalgalerie – a mature work and the only postwar building in Germany by Ludwig Mies van der Rohe, who emigrated to the United States in 1938 – is a spectacular building: a 2,430-square-metre-large glass hall whose steel roof is supported solely by external columns. The collection is housed in the base of this modern 'temple'.

La Neue Nationalgalerie — seul édifice construit après-guerre en Allemagne par Ludwig Mies van der Rohe (émigré en 1938 aux États-Unis) — est un bâtiment spectaculaire : un hall en verre de 2430 m² dont la couverture en acier repose uniquement sur des colonnes extérieures. La collection de peinture est dans le socle de ce « temple » moderne.

»Berlin hat mich im höchsten Grade überrascht«, schrieb Mark Twain nach einem Besuch der damaligen Reichshauptstadt in der Wintersaison 1891/92. Es sei, so der amerikanische Schriftsteller, »... die neueste Stadt, die mir je vorgekommen ist«.

Mehr als 100 Jahre später geht es dem Besucher ähnlich: Der gigantische Bauboom, der nach dem Fall der Mauer und der Wiedervereinigung der beiden Stadthälften eingesetzt hat, schafft besonders in Berlin-Mitte und den Rändern der anschließenden Bezirke ein neues Stadtbild. Neue Zentren entstehen, ganze Straßenzüge, darunter vor allem die berühmte, einst durch den Grenzübergang Checkpoint Charlie geteilte Friedrichstraße, werden weitgehend neu bebaut. Legendäre Orte wie der Potsdamer Platz erhalten ein völlig verändertes Gesicht, oder sie werden in Anlehnung an die historische Gestalt erneuert, wie der Pariser Platz mit dem wiedererrichteten Luxushotel Adlon, das sich am zerstörten Bau von 1907 orientiert. In seiner Mitte leistet sich Berlin auch einige geradezu spektakuläre Gebäude: Das schon vor seiner Fertigstellung über Berlin hinaus bekannte Jüdische Museum von Daniel Libeskind in Kreuzberg oder das Quartier Schützenstraße von Aldo Rossi im früheren Zeitungsviertel in unmittelbarer Nähe zum ehemaligen Checkpoint Charlie. Auch das Holocaust-Mahnmal wurde nach langer Planung endlich auf einem zentralen Grundstück nahe des Brandenburger Tors errichtet. Große Bauaufgaben aber müssen noch bewältigt werden.

Schnell kann dabei vergessen werden, dass eine umfassende Neubebauung nur durch die großen Brachflächen möglich war, die die verheerenden Bombenangriffe des Zweiten Weltkriegs geschlagen hatten. In den Bezirken Mitte und Tiergarten, die heute wieder als ›die Mitte‹ Berlins gelten, waren die Zerstörungen besonders schlimm. Der Potsdamer Platz, einst Symbol der modernen, schnellen und lebenslustigen Metropole, ist nur einer von vielen berühmten Orten Berlins, die vollkommen vernichtet worden sind. Im Schatten der Mauer gelegen, blieb er mehr als vierzig Jahre unbebaut.

Mit dem verbliebenen baulichen Erbe ist Berlin nicht immer pfleglich umgegangen. Historische Bauten, die zu besitzen die Stadt heute stolz ist, ließ man lange Zeit verkommen. So blieben der Martin-Gropius-Bau und der ehemalige Hamburger Bahnhof – inzwischen hervorragend saniert – noch Jahrzehnte nach Kriegsende rußgeschwärzte Ruinen und waren vom Abriss bedroht.

Ein heute wieder als schmerzhaft verspürter Einschnitt ist die Zerstörung des Berliner Stadtschlosses, das die DDR-Regierung in einer Aktion sinnloser ideologischer Abrisswut im Jahr 1950 sprengen ließ. Die seit Jahren anhaltende Diskussion über einen Wiederaufbau der Hohenzollernresidenz ist über die Stadtgrenzen hinaus bekannt. Noch immer ist ungeklärt, wie das Schlossgrundstück am Lustgarten, das

"Berlin really took me by surprise," Mark Twain wrote after a visit to the Reich's capital in the winter of 1891/92; it must be, the American writer went on to note "... the newest city I have ever encountered."

Over a hundred years later, visitors experience a similar feeling: the enormous building boom that began after the fall of the Wall and the reunification of the partitioned city is creating a new urban image, especially in Berlin-Mitte and on the margins of the adjacent districts. New centres are emerging, and new buildings are being raised along the entire length of some major streets, among others on the famous Friedrichstrasse, which was once divided by the border crossing at Checkpoint Charlie. Legendary sites such as Potsdamer Platz are taking on an entirely different appearance while others are being restored to reflect their historic image, as is the case on Pariser Platz with the reconstruction of the luxury Adlon Hotel, modelled faithfully on the original structure destroyed in 1907. Berlin-Mitte is also splurging on truly spectacular buildings: the Jewish Museum in Kreuzberg, designed by Daniel Libeskind and famous beyond Berlin even prior to its completion, or the Schützenstrasse complex by Aldo Rossi in the former newspaper district and in immediate proximity to Checkpoint Charlie. Following a lengthy planning process, the Holocaust memorial was finally erected on a central site near the Brandenburg Gate. But there are major building tasks yet to be realized.

It's easy to forget that such extensive new development was only made possible through the large wastelands that were the legacy of the devastating bombing raids of the Second World War. The Mitte and Tiergarten districts, once again located in the 'middle' of a unified Berlin, were especially hard hit. Potsdamer Platz, once upon a time a symbol of the modern, fast-paced and lively metropolis, is only one of many famous sites in Berlin that were completely destroyed. Lying in the shadow of the Wall, the square lay empty and undeveloped for over forty years.

Berlin hasn't always dealt gently with the architectural heritage that did survive. Historic buildings, which the city is now proud to own, were neglected for a long time. Even decades after the end of the war, the Martin-Gropius-Building and the former Hamburger Station were no more than soot-blackened ruins, always in danger of falling victim to the wrecking ball. These monuments have been beautifully restored in the meantime, and today they are internationally renowned establishments for major art exhibitions.

The destruction of the Stadtschloss was a painful and regrettable decision, in hindsight. Although the war-damaged building was structurally sound and could easily have been saved, the GDR government gave the order to demolish it in an act of senselessness fired by raging ideology in 1950. The debate whether or not the former Hohenzollern castle should be reconstructed has raged unabated for many years and is

« Berlin m'a totalement bouleversé », notait Mark Twain à l'issue d'une visite dans la capitale de l'Empire à l'hiver 1891-1892. Pour l'écrivain américain, il s'agissait là de « la ville la plus moderne qu'[il ait] jamais vue. »

Plus d'un siècle plus tard, celui qui se rend à Berlin vit une expérience comparable.

Le gigantesque boom architectural survenu après la chute du Mur et la réunification donne au paysage urbain un aspect nouveau, notamment dans le centre — Berlin-Mitte. De nouveaux lieux se créent, des rues entières, parmi elle la célèbre Friedrichstrasse, jadis divisée par le poste frontière de Checkpoint Charlie, font l'objet d'un vaste réaménagement. Des lieux légendaires comme Potsdamer Platz prennent une allure toute nouvelle, d'autres sont restaurés selon des modèles historiques : Pariser Platz avec l'hôtel de luxe Adlon, reconstruit à l'image de l'édifice de 1907 qui avait été entre-temps détruit. Le centre de Berlin accueille désormais aussi quelques immeubles des plus spectaculaires : le Musée juif de Daniel Libeskind, à Kreuzberg, ou encore le quartier Schützenstrasse d'Aldo Rossi, tout proche de l'ancien Checkpoint Charlie. Après une longue phase d'étude, le mémorial de l'Holocauste a été érigé dans le Centre, sur un terrain près de la Porte de Brandebourg. D'autres grands projets architecturaux doivent encore être menés à bien.

On oublie peut-être trop vite qu'un réaménagement urbain de cette envergure n'est possible qu'en raison des vastes friches laissées par les bombardements dévastateurs de la Deuxième Guerre mondiale. Les destructions furent particulièrement graves dans les secteurs Mitte et Tiergarten, que l'on considère aujourd'hui comme le centre de Berlin.

La Potsdamer Platz, jadis symbole de modernité et de vie urbaine trépidante, est un des nombreux célèbres sites berlinois qui furent complètement détruits. Caché dans l'ombre du Mur, cette place est restée en ruines pendant plus de quarante ans. Berlin n'a pas toujours traité son patrimoine architectural avec soin. Pendant de longues années, la ville a laissé dépérir quantité d'édifices historiques dont elle est fière aujourd'hui. Ainsi, le Martin-Gropius-Bau et l'ancienne Hamburger Bahnhof sont restés à l'abandon pendant des décennies.

Entre-temps, ces somptueux bâtiments ont été remarquablement rénovés et constituent des lieux artistiques mondialement appréciés pour la qualité de leurs expositions. Une autre césure, vécue douloureusement aujourd'hui, fut la démolition du Stadtschloss. Bien que l'édifice, endommagé pendant la guerre, n'ait pas menacé de s'effondrer et aurait pu être sauvé, le gouvernement de la RDA, avec un acharnement idéologique totalement insensé, le fit sauter en 1950. Le débat mené depuis plusieurs années sur la reconstruction de la Résidence des Hohenzollern a largement dépassé les limites de la

›Herz der Stadt‹, zukünftig gestaltet werden soll. Heute steht dort der Palast der Republik, ein vielen lästiges Relikt der untergegangenen DDR, das zugunsten des Schlossneubaus 2006 abgerissen wird.

Aber trotz der großen Verluste gibt es in Berlins Mitte großartige historische Bauten. Die meisten wurden nach den schweren Kriegsschäden mühsam wieder hergerichtet, viele erst in den 1970er und 80er Jahren. Erst Mitte der 1990er Jahre konnten die berühmten Hackeschen Höfe und die Neue Synagoge in der Oranienburger Straße, deren schöne goldglänzende Kuppel heute aus dem Stadtbild nicht mehr wegzudenken ist, restauriert werden.

Die Sanierung der Museumsinsel mit ihren fünf hochbedeutenden zwischen 1830 und 1930 geschaffenen Museumsbauten wird noch etwa fünf Jahre andauern.

Vollkommen neu aufgebaut finden wir in Berlins Mitte wieder das kleine Nikolaiviertel, in dem einst der mittelalterliche Siedlungskern Berlins lag. Der Boulevard Unter den Linden, mit seinen vielen, heute verschwundenen Adelspalästen einst die vornehmste Straße Berlins, zeugt genau wie seine nähere Umgebung von den blühenden Zeiten der Stadt als königliche und kaiserliche Residenz: Das barocke Zeughaus war der erste repräsentative Großbau des neuen Königreichs Preußen. Das Lindenforum mit Staatsoper, Universität und Bibliothek veranschaulicht die Bemühungen König Friedrichs II. und seines Architekten Georg Wenzeslaus von Knobelsdorff um eine weitere ›Verschönerung‹ der Stadt. Das ehemalige Schauspielhaus am Gendarmenmarkt, das Alte Museum am Lustgarten, die Schlossbrücke oder die einstige Neue Wache am östlichen Ende der ›Linden‹ zeigen das einzigartige Talent von Berlins wohl berühmtesten Architekten, dem klassizistischen Baumeister Karl Friedrich Schinkel, ein gut proportioniertes, würdiges Stadtbild zu schaffen.

Aus den Anfängen des 20. Jahrhunderts stammt der wuchtige, Schinkels Dimensionen überbietende Dom am Lustgarten, einst die Hof- und Grabeskirche der Hohenzollern.

Vieles in der Mitte Berlins erinnert natürlich auch daran, dass hier 40 Jahre lang die Hauptstadt der DDR gewesen ist: Im Bezirk Friedrichshain kündet die gigantische Karl-Marx-Allee, die »erste Straße des Sozialismus«, von den selbstbewussten jungen Jahren der Republik, und der Alexanderplatz mit dem Fernsehturm sieht noch fast genauso aus, wie ihn DDR-Stadtplaner als modernes Zentrum Ostberlins in den 1960er Jahren gestaltet haben.

Eine besondere Bedeutung für die Geschichte der DDR und Ostberlins hat auch der alte Arbeiterbezirk Prenzlauer Berg. Die vom DDR-Staat vernachlässigten gründerzeitlichen Mietskasernen – heute wird dort umfassend saniert – boten meist jüngeren DDR-Bürgern einen Schlupfwinkel vor dem Zugriff des real existierenden Sozialismus.

So ist die neue Mitte Berlins eine faszinierende Mischung aus alt und neu und das wiedererstandene Zentrum einer Metropole, die Diktaturen und Kriege eben nur ›fast‹ zerstören konnten.

widely publicized even beyond the city's boundaries. There is still no consensus on how to utilize the former palace at the Lustgarten, the "heart of the city". It is currently occupied by the Palace of the Republic, to many people an unwelcome relic of the defunct GDR and now scheduled for demolition to make way for the reconstruction.

Despite great losses, however, Berlin-Mitte still boasts imposing historic buildings. Most were painstakingly restored after the war, although much of the restoration work did not occur until the 1970s and 1980s. And the famous Hackesche Höfe and the New Synagogue on Oranienstrasse were only restored in the mid-1990s. Today, the urban skyline is inconceivable without the beautiful gilded cupola of the synagogue.

The restoration of the Museum Island with its five important institutions created between 1830 and 1930 will take five years to complete.

In Berlin-Mitte the visitor encounters the fully restored Nikolaiviertel, a small district that represents Berlin's medieval core. Unter den Linden, once Berlin's most elegant boulevard with many city palaces, since destroyed, and its immediate surroundings bear witness to the city's flowering as a royal and then imperial capital: the Baroque Zeughaus (Armoury) was the first monumental building of the new kingdom of Prussia. The Lindenforum with the state opera, the university and the library, bears witness to the efforts of King Frederick II and his architect Georg Wenzeslaus von Knobelsdorff to further 'beautify' the city. The former Schauspielhaus on the Gendarmenmarkt, the Alte Museum on the Lustgarten, the castle bridge and the former Neue Wache (New Guard House) at the eastern end of the 'Linden' are testimony to the unique talent of Berlin's greatest architect, master of Classicism Karl Friedrich Schinkel, in creating a well-proportioned, dignified urban image for the city.

The massive cathedral at the Lustgarten, which overpowers Schinkel's proportions, dates from the early 20th century and was once the royal chapel and mausoleum of the Hohenzollern dynasty.

Naturally there are many features in Berlin-Mitte that remind us that this was the capital of the GDR for forty years: in Friedrichshain the monumental Karl-Marx-Allee, the "first street of Socialism", speaks of the self-assured early years of the East German Republic, and Alexanderplatz with its TV tower remains virtually unchanged from the image devised by the urban planners of the GDR for the modern centre of East Berlin in the 1960s.

The old blue-collar district Prenzlauer Berg also occupies a special place in the history of the GDR and of East Berlin in general: the tenement blocks from the foundation period, neglected by the state in the GDR era and subject to extensive renewal today, offered refuge to mostly younger GDR citizens from the harsh grip of Socialism.

The new centre of Berlin is therefore a fascinating blend of old and new as well as being the re-born centre of a metropolis that was never fully destroyed by either totalitarian regimes or by war.

ville, et la restructuration du terrain près du Lustgarten, au « cœur de la ville », n'est toujours pas arrêtée. C'est là que se trouve encore aujourd'hui le Palast der Republik (Palais de la République), un vestige de la RDA donc la démolition est prévue pour 2006 afin de permettre la reconstruction du château.

Malgré l'importance des pertes, le centre de Berlin abrite encore de magnifiques bâtiments historiques. Après les ravages de la guerre, la plupart furent rénovés au prix d'efforts longs et difficiles, entrepris seulement au cours des années 1970 et 1980.

Il fallut attendre le milieu des années 1990 pour que soient restaurés les célèbres Hackesche Höfe et la Nouvelle Synagogue de la Oranienburger Strasse, dont la belle coupole dorée fait aujourd'hui partie intégrante du panorama de la ville.

La rénovation de la Museumsinsel, avec ses cinq illustres musées érigés entre 1830 et 1930, demandera encore cinq ans environ. Au cœur de Berlin, l'ancien Nikolaiviertel (noyau médiéval de l'agglomération) est à présent parfaitement restauré.

Le boulevard Unter den Linden, avec ses innombrables palais aujourd'hui disparus, jadis l'allée la plus distinguée de Berlin, témoigne d'un gloire passée, du temps où la ville était capitale de la royauté et de l'Empire : le Zeughaus, de style baroque, fut le premier grand édifice du nouveau royaume de Prusse. Le Lindenforum, avec l'Opéra, l'université et la bibliothèque, illustre la volonté du roi Frédéric II et de son architecte Georg Wenzeslaus von Knobelsdorff de renforcer l'« embellissement » de la ville.

L'ancienne Schauspielhaus am Gendarmenmarkt, le Altes Museum au Lustgarten, la Schlossbrücke ou encore l'ancienne Neue Wache, côté est des « Linden », révèlent le talent unique de l'architecte berlinois sans doute le plus célèbre, Karl Friedrich Schinkel ; ce maître d'œuvre « classiciste » sut créer un paysage urbain aux proportions nobles et harmonieuses.

Érigée au début du XXᵉ siècle dans des dimensions dépassant celles de Schinkel, la cathédrale au Lustgarten avait été jadis l'église des Hohenzollern. Bien sûr, quantité d'éléments du Centre rappellent que Berlin fut pendant quarante ans aussi la capitale de la RDA : dans l'arrondissement Friedrichshain, la gigantesque Karl-Marx-Allee, « première rue du socialisme », témoigne des débuts affirmés de la République démocratique ; Alexanderplatz n'a pratiquement pas changé d'allure depuis que les urbanistes de la RDA en ont fait le centre, nouveau et moderne, de Berlin-Est dans les années 1960.

L'ancien quartier ouvrier de Prenzlauer Berg joue également un rôle particulier dans l'histoire de la RDA. Les barres de logements style Gründerzeit, négligées par les autorités de la RDA, offraient alors aux citoyens, surtout les plus jeunes, des coins à l'abri de l'emprise totalitaire. Aujourd'hui, l'ensemble fait l'objet d'une importante modernisation.

Le nouveau centre de Berlin est un fascinant mélange d'ancien et de nouveau — le centre ressuscité d'une métropole que les dictatures et les guerres n'ont pas complètement détruit.

Potsdamer Platz

Potsdamer Platz

Potsdamer Platz

Vom Potsdamer Platz sei »vor allem zu sagen, daß er kein Platz ist ...«, meinte Franz Hessel 1928. Er war eine große Straßenkreuzung, in den 1920er Jahren die verkehrsreichste Europas, die schon 1925 über einen – heute wieder aufgestellten – Verkehrsturm verfügte.

Die Bauten sind Legende: Das Café Josty, in dem Erich Kästner Stammgast war, die Luxushotels Esplanade und Fürstenhof, das berühmte Haus Vaterland, ein riesiger Amüsierbetrieb. Der Potsdamer Platz war Inbegriff der modernen, pulsierenden Metropole Berlin, bis die Bauten im Zweiten Weltkrieg zerstört wurden.

Nach dem Masterplan von Renzo Piano errichteten Architekten aus aller Welt im Auftrag des Investors DaimlerChrysler ab 1993 ein neues Stadtviertel. Der Konzern wollte nicht nur ein Verwaltungszentrum schaffen, sondern »Berlin ein Stück Großstadt wiedergeben«. Neben Bürohochhäusern entstanden Wohnungen, ein überdachtes Einkaufszentrum, ein Musical-Theater, Spielcasino, Kinocenter sowie ein Nobelhotel (S. 37 und 39). Gegenüber, in dem gläsernen Neubauareal von Helmut Jahn, ist die Europazentrale des Elektronikriesen Sony untergebracht. Der Verkauf des Geländes an Großkonzerne hatte seinerzeit Anlass zu heftiger Kritik gegeben.

Potsdamer Platz, Franz Hessel remarked in 1928, "is above all notable for not being a square at all (...)." It was a large intersection, one of the busiest in Europe in the 1920s, which boasted a traffic tower – once again in place today – as early as 1925.

The buildings are legendary: the Café Josty, where Erich Kästner was a regular patron, the luxury hotels Esplanade and Fürstenhof, the famous 'Haus Vaterland,' a gigantic entertainment establishment. Potsdamer Platz was the quintessential expression of the modern pulse of the metropolis until the buildings were destroyed in the Second World War.

After 1993 architects from around the globe began to construct a new urban district, commissioned by the investor DaimlerChrysler and based on a master plan designed by Renzo Piano. The corporation wanted to achieve more than the creation of a new administration centre; it wanted to "return a cosmopolitan element to Berlin". In addition to office towers, housing, an enclosed shopping centre, a theatre for musicals, a casino, Cinemaplex and a luxury hotel were created (see pp. 37 and 39). The European headquarters of electronics giant Sony are housed directly opposite in the new glass complex designed by Helmut Jahn. The sale of the site to multinationals met with fierce criticism at the time.

Du Potsdamer Platz, « il faut surtout dire qu'il ne s'agit pas vraiment d'une place... », déclarait Franz Hessel en 1928. C'était plutôt un grand carrefour, celui dans les années 1920 où la circulation était la plus dense d'Europe ; dès 1925, s'y trouvait en outre une tour de signalisation routière (aujourd'hui à nouveau érigée).

Les bâtiments qui bordent la place sont légendaires : le Café Josty, dont Erich Kästner était un habitué, les hôtels de luxe Esplanade et Fürstenhof, le célèbre lieu de divertissement Vaterland. La Potsdamer Platz était tout à l'image de la métropole moderne et vivante qu'était Berlin — jusqu'aux destructions de la Deuxième Guerre mondiale.

Suivant le plan directeur de Renzo Piano, des architectes du monde entier sont chargés depuis 1993 par l'investisseur DaimlerChrysler de reconstruire un nouveau quartier. Le groupe industriel voulait par là se créer un grand siège administratif, mais aussi « rendre à Berlin un peu de son statut de métropole ».

Ainsi se constituèrent, à côté des tours de bureaux, des logements, une galerie marchande, un théâtre pour comédies musicales, un casino, un grand cinéma, ainsi qu'un hôtel de luxe (p. 37 et 39). Le siège européen du géant de l'électronique Sony loge dans le nouvel ensemble en verre que Helmut Jahn a construit juste en face. La vente de ce terrain à plusieurs groupements industriels fut à l'origine de violentes controverses.

Der Potsdamer Platz 1925. Von links: Hotel Fürstenhof, Potsdamer Bahnhof und der Pschorr-Bierpalast. Vierzig Jahre blieb das Gelände Niemandsland, denn die Mauer verlief über den Platz. Rechts ein Blick in die Leipziger Straße vor dem Mauerbau. Am linken Bildrand das berühmte Warenhaus Wertheim, das 1955 abgetragen wurde.

Potsdamer Platz in 1925. From left to right: Hotel Fürstenhof, Potsdamer station and the Pschorr brewery. Bisected by the Wall, the site was a no-man's-land for forty years. To the right, a view down the Leipziger Strasse prior to the construction of the Wall. At the far left, the famous Wertheim department store, demolished in 1955.

La Potsdamer Platz en 1925 : l'hôtel Fürstenhof, le Potsdamer Bahnhof et la brasserie Pschorr. Pendant quarante ans, ce gigantesque terrain vague était traversé par le Mur. À droite : vue sur la Leipziger Strasse avant la construction du Mur. Sur le bord, à gauche, les célèbres magasins Wertheim, démolis en 1955.

Herzstück des 1996–2000 erbauten Sony-Komplexes ist die Plaza mit der charakteristischen Zeltüberdachung. Sie beherbergt Kinos, Restaurants und Cafés. Integriert wurde der Kaisersaal aus der Ruine des einstigen Grandhotels Esplanade von 1908. Man hat ihn zu diesem Zweck mit hydraulischer Technik um 75 Meter versetzt.

The plaza with the trademark tent roof is the heart of the Sony complex built from 1996–2000. It houses cinemas, restaurants and cafés. The Imperial Room (Kaisersaal) from the ruin of the former luxury Hotel Esplanade from 1908 was integrated into the new structure. To this end, it was shifted by 75 m with the help of hydraulics.

La Plaza, avec son toit en forme de tente, est l'élément phare du complexe Sony érigé entre 1996 et 2000. Elle comprend cinémas, restaurants, cafés. Le Kaisersaal, qui fut intégré dans l'ensemble, provient de l'ancien grand hôtel Esplanade construit en 1908. La salle fut déplacée de 75 mètres à l'aide d'une installation hydraulique.

Martin-Gropius-Bau und Topographie des Terrors

Martin-Gropius-Building and the Topography of Terror

Le Martin-Gropius-Bau et la Topographie de la Terreur

Obwohl der Archäologe Heinrich Schliemann kritisierte, dass »... auch bei hellem Wetter niemand imstande ist, in den hinteren Schränken eine Ziege von einer Schildkröte zu unterscheiden«, wurde der Neubau des Kunstgewerbemuseums, ein Werk der Berliner Architekten Martin Gropius und Heino Schmieden, seinerzeit wohlwollend aufgenommen.

Der Bau ist eine der schönsten noch erhaltenen Gründerzeitarchitekturen Berlins. Trotz des nüchternen Backsteins hat er die Würde eines italienischen Renaissancepalastes. Die zierlichen Terrakottafriese zeigen entsprechend seiner einstigen Funktion Szenen aus Handwerk und Kunstgewerbe.

Das im Zweiten Weltkrieg schwer beschädigte Gebäude wurde nur durch den Protest des Architekten Walter Gropius, eines Großneffen des Erbauers, vor dem Abriss bewahrt. Erst 1979–1986 hat man die Ruine wieder aufgebaut und als Ausstellungsgebäude eingerichtet.

Auf dem benachbarten Gelände der Topographie des Terrors befinden sich die 1986 und 1996/97 ausgegrabenen und gesicherten Reste der zentralen Einrichtungen der nationalsozialistischen Unterdrückungs- und Vernichtungspolitik: Das Geheime Staatspolizeiamt mit seinem berüchtigten ›Hausgefängnis‹, die Zentrale der SS-Führung und das Reichssicherheitshauptamt.

Although archaeologist Heinrich Schliemann lamented that "(...) even on a bright day no one can tell a goat from a tortoise in the display cases in dark corners (...)," the new building for an arts and crafts museum by Berlin architects Martin Gropius and Heino Schmieden was well received at the time.

The building is one of the most beautiful surviving foundation-period structures in Berlin. Despite the rational brick exterior, it has the dignity of an Italian Renaissance palazzo. The delicate terracotta friezes depict scenes of the various trades and crafts, corresponding to the original function of the building.

The building suffered heavy damage in the Second World War and it was only due to protests from architect Walter Gropius, great nephew of the original builder, that it was saved from demolition. The ruin was reconstructed in 1979–1986 and converted into an exhibition building.

The adjacent Topography of Terror *documents remnants of the central organs of the National Socialist regime of terror and destruction, recovered in 1986 and 1996/97: the Gestapo HQ with its infamous 'house prison', the SS headquarters and Reichssicherheitshauptamt.*

La construction du Kunstgewerbemuseum (musée des arts appliqués) par les architectes berlinois Martin Gropius et Heino Schmieden fut jadis accueillie avec bienveillance, même si le spécialiste de l'Antiquité Heinrich Schliemann affirmait que « personne n'y était capable, même par temps clair, de distinguer une chèvre d'une tortue ».

L'édifice inauguré en 1881 a toute la dignité d'un palais Renaissance italien ; il est surtout un des plus beaux vestiges de l'architecture Gründerzeit à Berlin. L'utilisation de la brique pour un bâtiment officiel était alors en vogue. Les frises en terre cuite représentent des scènes évoquant l'artisanat et les arts appliqués.

Ce n'est que grâce à la forte entremise de l'architecte Walter Gropius, petit-neveu du bâtisseur, que l'édifice gravement endommagé pendant la Deuxième Guerre mondiale put être sauvé de la démolition. Entre 1979 et 1986, il fut reconstruit et aménagé en musée. Aujourd'hui, il constitue un musée fort réputé.

Sur le terrain jouxtant la « Topographie de la Terreur » se trouvent les vestiges des principaux sièges nazis où fut élaborée la politique de la répression et de l'extermination ; ces vestiges mis au jour et sauvegardés en 1986, puis en 1996-1997, sont ceux notamment des bureaux de la Gestapo et de sa redoutable prison, de la direction de la SS et du Reichssicherheitshauptamt.

Die Dokumentation *Topographie des Terrors* wird zur Zeit noch als provisorische Open-Air-Austellung gezeigt. Aus dem 2006 abgeschlossenen Wettbewerb zur Neugestaltung des Geländes gingen das Berliner Architekturbüro Heinle, Wischer und Partner (Neubau) sowie der Landschaftsarchitekt Heinz W. Hallmann (Freifläche) als Sieger hervor. Die Arbeiten sollen 2009 abgeschlossen sein.

The Topography of Terror *documentation is currently displayed as a temporary open-air exhibition. The architectural firm Heinle, Wischer und Partner and the landscape architect Heinz W. Hallmann won the competition to rebuild the site in 2006. The works will be completed in 2009.*

Les documents concernant la *Topographie de la Terreur* sont actuellement présentés sous forme d'exposition provisoire en plein air. Du concours pour le réaménagement du terrain conclu en 2006 sont sortis gagnants le bureau d'architecture Heinle, Wischer und Partner a Berlin (bâtiment à construire) et l'architecte paysagiste Heinz W. Hallmann (terrain). Les travaux devraient être achevés en 2009.

Checkpoint Charlie

Checkpoint Charlie

Checkpoint Charlie

»Sie verlassen den amerikanischen Sektor«, warnt noch heute eine viersprachige Tafel. Der Checkpoint Charlie bildete die Grenze zwischen amerikanischem und sowjetischem Sektor. Weltberühmt wurde der Grenzübergang als Brennpunkt der Weltgeschichte. Ende Oktober 1961, kaum mehr als zwei Monate nach dem Mauerbau, auf dem Höhepunkt der Berlinkrise, standen sich hier drei Tage lang amerikanische und sowjetische Panzer gegenüber. Die Gefahr eines dritten Weltkriegs lag greifbar in der Luft.

28 Jahre lang konnten hier Ausländer, Angehörige der Alliierten Streitkräfte und Diplomaten ungehindert passieren. Für die gewöhnlichen Berliner standen andere Übergänge zur Verfügung. Das galt nicht für die Bürger der DDR: Über 70 Menschen starben bei dem Versuch, auf die andere Seite der mehr als vier Meter hohen Berliner Mauer nebst ›Todesstreifen‹ mit Hundelaufanlage und Beobachtungstürmen zu gelangen.

An den Checkpoint Charlie erinnern heute außer der Kopie des Warnschilds ein Nachbau der Kontrollbaracke und die Fotos eines sowjetischen Grenzpostens Richtung West- und eines amerikanischen Richtung Ostseite. Den einstigen Verlauf der Mauer markiert ein schmaler Streifen aus rötlichen Steinen.

"You are leaving the American sector," the sign in four languages still cautions today. Checkpoint Charlie marks the boundary between the American and the Soviet sectors. It gained international infamy as a focal point at a critical moment of world history. At the end of October 1961, barely two months after the construction of the Wall and at the height of the Berlin crisis, American and Soviet tanks faced off against one another at this checkpoint for three long days. The danger of a third world war was palpable.

For twenty-eight years, foreigners, members of the allied forces and diplomats were allowed to cross over with impunity. Ordinary Berlin residents had to use other border-crossings. Of course, things were different for GDR citizens: more than seventy people died in the attempt to reach the other side of the over four-m-high Berlin Wall, additionally fortified by the 'death strip' with guard dogs and watch-towers.

Aside from the copy of the warning sign, a reconstruction of the guards' barracks and photos of a Soviet border post to the West and an American post to the East serve as reminders of Checkpoint Charlie. A narrow line of reddish stone traces the former line of the Wall.

« Vous sortez du secteur américain » — aujourd'hui encore est affiché le panneau en quatre langues. Le poste de Checkpoint Charlie marquait la frontière entre le secteur américain et le secteur soviétique. Ce poste frontière devint mondialement célèbre fin octobre 1961. En effet, c'est ici qu'à peine plus de deux mois après la construction du Mur, alors que la crise de Berlin était à son apogée, des blindés américains et soviétiques se firent face pendant trois jours. Une troisième guerre mondiale menaçait d'éclater. Pendant 28 ans, étrangers, membres des puissances alliées ou diplomates pouvaient franchir la frontière ici même, alors que les Berlinois devaient passer par d'autres postes. Évidemment, le règlement était encore différent pour les citoyens de la RDA : plus de 70 personnes sont mortes en tentant de passer de l'autre côté du Mur (4 mètres de hauteur, une « bande de la mort », corridor pour chiens de garde et tours de guet). Aujourd'hui, abstraction faite de la copie du panneau d'avertissement, une réplique de la baraque de contrôle et les photos d'un garde-frontière soviétique vers l'Ouest et d'un garde-frontière américain vers l'Est commémorent Checkpoint Charlie. Une bande mince de pierres rougeâtres rappelle l'ancien tracé du Mur.

Rund um den einstigen Checkpoint Charlie entstehen viele Neubauten. Bemerkenswert ist die GSW-Verwaltung in der Kochstraße, 1995–1998 von Sauerbruch & Hutton errichtet. Durch bewegbare Metall-Lamellen entsteht eine farbige, ständig changierende Fassade. Die Hochhausscheibe korrespondiert mit dem Springer-Hochhaus im Hintergrund.

Many new buildings are rising around the former Checkpoint Charlie.The GSW administration building on Kochstrasse, built by Sauerbruch & Hutton in 1995–1998, is especially noteworthy. Moveable metal louvres result in a colourful, constantly changing facade. The high-rise slab responds to the Springer tower in the background.

Autour de l'ancien Checkpoint Charlie, beaucoup de nouvelles constructions ont été érigées. L'immeuble pour la régie de la GSW dans la Kochstrasse en est une des plus remarquables : ses lamelles mobiles créent une façade multicolore qui change constamment de couleur. Le volume du gratte-ciel répond à la tour Springer à l'arrière-plan.

Jüdisches Museum

Jewish Museum

Le Musée juif

Das Jüdische Museum Berlin ist einer der spektakulärsten Neubauten der letzten Jahre. Schon vor der Eröffnung im September 2001 war der Rohbau ein Besuchermagnet.

Der amerikanische Architekt Daniel Libeskind hat keine neutrale Hülle für ein Museum geschaffen. Libeskind, selbst jüdischer Herkunft, betrachtet sein Gebäude zugleich als mahnende Erinnerung an die Tragödie der Juden im 20. Jahrhundert. Schon der blitzförmige Grundriss kann als zerbrochener Davidstern gedeutet werden.

Drei Achsen im Gebäude zeichnen die drei Wege des deutschen Judentums nach: Eine Achse steht für die Vernichtung und mündet in den Holocaust-Turm, einen leeren, dunklen Betonschacht. Die zweite symbolisiert den Weg in die Emigration und führt zwischen die Betonstelen des abschüssigen Exilgartens. Eine dritte leitet als ›Treppe der Kontinuität‹ zu den Ausstellungsräumen, wo deutsch-jüdische Geschichte zweier Jahrtausende gezeigt wird. Zugang zum Museum hat man unterirdisch durch den benachbarten Rokokobau, dem einstigen Kammergericht aus der Zeit des Königs Friedrich Wilhelm I.

Die Eignung des eigenwilligen Neubaus als Museum ist allerdings umstritten, und manche hätten ihn gerne nur als Holocaust-Mahnmal gesehen.

The Jewish Museum in Berlin is one of the most dramatic new buildings in recent years. The shell became a tourist attraction even prior to its opening in September 2001.

The American architect Daniel Libeskind did not create a neutral envelope for a museum. Libeskind, himself of Jewish extraction, thinks of his building as also serving as a cautionary reminder of the tragedy of the Jews in the 20th century. The lightning-shaped plan can be interpreted as a broken Star of David.

Inside the building, three axes retrace the three roads travelled by the German Jews: one axis represents destruction and ends in the Holocaust Tower, an empty, dark concrete shaft. The second symbolizes the road of emigration and passes between the concrete stelae of the sloping garden of exile. A third guides the visitor to the exhibition areas, symbolizing the 'stairway of continuity', where two thousand years of German Jewish history are presented. Access to the museum is underground, through the neighbouring Rococo building, the former Supreme Court from the time of King Frederick William I.

The suitability of the iconoclastic structure as a museum has sparked some debate, however, and there are those who would have preferred the building to stand only as a Holocaust memorial.

Le Musée juif de Berlin est l'une des constructions les plus spectaculaires de ces dernières années. Avant même son inauguration en septembre 2001, son chantier attirait déjà quantité de visiteurs. L'architecte américain Daniel Libeskind n'a pas seulement créé ici un édifice neutre. Lui-même d'origine juive, il veut que son architecture rappelle instamment la tragédie qui a frappé les juifs au XXᵉ siècle. Le plan de la construction, à lui seul, peut être lu comme une étoile de David brisée. Trois axes à l'intérieur du bâtiment retracent les différents destins des juifs allemands.

Le premier axe représente l'extermination et mène à la tour de l'Holocauste, un puits en béton vide et sombre. Le second symbolise le chemin de l'émigration et mène à travers les stèles du jardin escarpé de l'exil. Un troisième axe, « escalier de la continuité », conduit le visiteur vers les salles d'exposition présentant l'histoire des juifs allemands à travers deux millénaires.

L'accès au musée est au sous-sol, dans l'immeuble rococo juste à côté, lui-même ancien tribunal du temps du roi Frédéric-Guillaume Iᵉʳ. Ce nouveau bâtiment singulier se prête-t-il à servir de musée ? La question est très controversée, et beaucoup souhaiteraient qu'il soit seulement monument commémoratif de l'Holocauste.

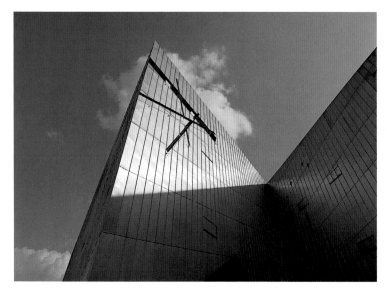 

Der Bau ist mit silbern schimmerndem Zinkblech verkleidet. Die scheinbar willkürlich in die Fassade geschnittenen Fensterschlitze verleihen dem Äußeren etwas Verletztes.
Für Libeskind sind sie Koordinaten eines Stadtplans, die verschwundene Wohnorte einstiger jüdischer und nichtjüdischer Bürger Berlins imaginär miteinander verbinden.

*The building is clad in silvery zinc sheeting. The narrow window openings, apparently randomly cut into the facade, give the exterior an appearance of something wounded.
To Libeskind they represent the co-ordinates of an imaginary map, linking the destroyed homes of former Jewish and non-Jewish citizens of Berlin.*

L'édifice est recouvert de zinc laminé argenté. Les fentes des fenêtres taillées comme arbitrairement dans les murs évoquent des blessures.
Pour Libeskind, ce sont les coordonnées d'un plan de ville reliant mentalement les domiciles disparus d'anciens Berlinois, juifs et non-juifs.

Quartier Schützenstraße

Einen »Anschlag auf den guten Geschmack« nannten Kritiker die knallbunten Bauten des Mailänder Architekten Aldo Rossi. Mit Fassaden, die über blau, rot, grün und gelb die ganze Farbpalette umfassen, ist es wohl das auffälligste Neubauquartier in der historischen Friedrichstadt.

Genauso spielerisch setzte Rossi unterschiedliche Fassadengestaltungen nebeneinander. Zwischen den popfarbigen Häusern befinden sich Backsteinbauten und Reste alter Stuckfassaden, an der Schützenstraße sogar eine Kopie des Palazzo Farnese, einem römischen Palast des 16. Jahrhunderts.

Gelobt wurde die Gliederung des Karrees: Statt eines Großblocks schuf Rossi 19 Einzelbauten. Damit vermied er lange monotone Fassaden, wie sie in der nahen Umgebung zu finden sind, und bezog sich gleichzeitig auf die Vorkriegsbebauung.

Allerdings sind die schmalen Einzelhäuser auch eine Mogelpackung: Innen durchlaufen die Büroflächen, zu größeren Einheiten zusammengefasst, mehrere Fassaden.

Das 1994–1997 errichtete postmoderne Quartier, eine Mischung aus Wohnungen, Büros und Läden, wurde das Vermächtnis des Architekten. Rossi, der viele weitere Wohn- und Geschäftshäuser in Berlin gebaut hat, starb 1997 bei einem Autounfall.

The Schützenstrasse District

Critics stated that the colourful buildings by Milan-based architect Aldo Rossi were "an assault on good taste". With facades whose colours range from blue, red and green to yellow, encompassing the entire palette, it is undoubtedly the most eye-catching new development in the historic Friedrichstadt area.

Rossi was equally playful in his juxtaposition of different facade designs. The pop-coloured houses are interspersed with brick buildings and remnants of old stucco facades, and on Schützenstrasse there is even a reproduction of the Palazzo Farnese, a 16th-century Roman palace.

The praise was unanimous, however, with regard to the division of the large square site: rather than creating a single large block, Rossi realized nineteen individual buildings. This enabled him to avoid the long, monotonous facades found on nearby blocks, while also establishing a reference to pre-war development.

To be sure, the narrow single houses are no more than deceptive packaging: on the inside, the office areas are combined into larger units, spanning several 'facades'.

The post-modern quarter, realized from 1994–1997 and comprising a mixture of housing, offices and retail areas, would become the architect's legacy. Rossi, who built many other apartment and office buildings in Berlin, died in a car accident in 1997.

Quartier Schützenstrasse

Des critiques ont qualifié les immeubles multicolores de l'architecte milanais Aldo Rossi d' « atteinte au bon goût ». Avec des façades variant toute la palette des couleurs, du bleu au rouge en passant par le vert et le jaune, cette nouvelle architecture est la plus frappante du quartier historique de Friedrichstadt. Avec le même ludisme, Rossi a placé différentes compositions de façades les unes à côté des autres. Entre des maisons aux couleurs vives se trouvent également des constructions en brique ou des vestiges d'anciennes façades en stuc ; dans la Schützenstrasse, on voit même une réplique du Palazzo Farnese, palais romain du XVIe siècle.

La structuration du quartier a été en revanche félicitée : au lieu d'un grand ensemble, Rossi a conçu 19 immeubles indépendants. Il a ainsi évité de longues façades monotones, comme on en trouve un peu partout dans les environs, et il fait en même temps référence aux constructions d'avant-guerre avoisinantes.

Les maisons individuelles aux façades étroites sont, quant à elles, un emballage trompeur, car à l'intérieur, les bureaux regroupés en unités plus grandes correspondent à plusieurs façades.

L'îlot post-moderne aménagé en 1994-1997 mêle logements, bureaux et commerces ; il est aussi le legs de l'architecte qui, après avoir construit plusieurs autres immeubles de commerce et d'habitation à Berlin, est mort en 1997 dans un accident automobile.

Friedrichstraße

Friedrichstrasse

Friedrichstrasse

Die Friedrichstraße, neben dem Kurfürstendamm und dem Boulevard Unter den Linden, eine der berühmtesten Straßen Berlins, verläuft mit einer Länge von 3,3 Kilometern zwischen den einstigen Stadttoren Oranienburger Tor und Hallesches Tor, die heute nur noch als U-Bahnhöfe auf dem Stadtplan zu finden sind. Sie diente den Königen als Paradestrecke; im 19. Jahrhundert wohnte hier die Berliner Intelligenz, darunter Christoph Wilhelm Hufeland und Alexander von Humboldt. Seit der Kaiserzeit hatte sie einen Weltruf als Vergnügungsmeile und Geschäftszentrum, dem der Luftangriff vom 3. Februar 1945 ein jähes Ende setzte. Trotz Prestigebauten wie dem Friedrichstadtpalast konnte sich die Straße zu DDR-Zeiten kaum erholen; im südlichen Teil war sie zudem durch die Mauer geteilt.

Exklusive Neubauten sollen ihr nun wieder Weltstadtniveau verleihen. Den Auftakt machten 1993–1996 die Friedrichstadt-Passagen, drei extravagante Baublöcke prominenter Architekten: Das streng kubische Quartier 205 von Oswald Mathias Ungers, das Quartier 206 des New Yorker Büros Pei, Cobb, Freed & Partners mit expressionistischen Elementen (großes Bild) und das gläserne Quartier 207 von Jean Nouvel (Bilder unten).

The Friedrichstrasse, one of the most famous streets in Berlin next to the Kurfürstendamm and Unter den Linden, stretches across 3.3 km between the former city gates, the Oranienburg Gate and the Halleshes Gate, which are marked only as subway stations on the city map today. It was a parade route for the kings; in the 19th century, this is where the city's intelligentsia lived, among them Christoph Wilhelm Hufeland and Alexander von Humboldt. As of the imperial era it had gained an international reputation as an entertainment strip and a commercial centre, which came to an abrupt end with a bombing raid on February 3, 1945. Despite such prestige buildings as the Friedrichstadtpalast, the street did not recover under the GDR; moreover, it was divided at its southern end by the wall.

Plans for exclusive new buildings envision a return to its former international stature.

A start was made in 1993–1996 with the Friedrichstadt arcades, three extravagant blocks designed by prominent architects: the severely cubic Quartier 205 by Oswald Mathias Ungers, Quartier 206 by the New York firm of Pei, Cobb, Freed & Partners with its expressionistic elements (large photo) and the glass Quartier 207 by Jean Nouvel (images below).

La Friedrichstrasse est, avec le Kurfürstendamm et le boulevard Unter den Linden, l'une des rues les plus connues de Berlin ; elle s'étend sur 3,3 kilomètres entre les anciennes portes Oranienburger Tor et Halleshes Tor, lesquelles n'existent plus que sous forme de stations de métro. La Friedrichstrasse servait aux parades des rois de Prusse. Au XIX⁰ siècle, c'est là que vivait l'intelligentsia berlinoise, comme Christoph Wilhelm Hufeland ou Alexander von Humboldt. Depuis l'Empire, elle eut la vocation mondiale de lieu d'amusement et de centre d'affaires — à laquelle le raid aérien du 3 février 1945 mit brusquement un terme. En dépit de bâtiments de prestige, tels le Friedrichstadtpalast, la rue n'a jamais réussi à se rétablir du temps de la RDA, d'autant que le Mur la divisait dans sa partie sud.

La construction de nouveaux immeubles de grand standing devrait raviver sa renommée au-delà des frontières allemandes. Les Friedrichstadtpassagen, trois complexes extravagants réalisés entre 1993 et 1996 par d'illustres architectes, constituent le point de départ de cette aventure : l'îlot 205 a été dessiné par Oswalt Matthias Ungers dans une forme rigoureusement cubique, l'îlot 206 du cabinet new-yorkais Pei, Cobb, Freed & Partners présente des éléments expressionnistes (grande ill.), l'îlot 207 a été conçu tout en verre par Jean Nouvel (ill. ci-dessous).

Zwischen den steinernen Fronten der Friedrichstraße ist Nouvels gläserner, elegant geschwungener Bau – eine Filiale des Pariser Kaufhauses Galeries Lafayette – ein Sonderfall. Ein gläserner, spiegelnder Kegel vergrößert das Innere. Mit den Quartieren 205 und 206 ist das Gebäude durch eine unterirdische Passage verbunden.

Nouvel's elegantly curved glass building – a branch of the Paris department store Galeries Lafayette – stands out among the stone fronts on Friedrichstrasse. A reflecting glass cone adds space to the interior. An underground mall links the building to Quartiers 205 and 206.

Au milieu de toutes ces façades en pierre de la Friedrichstrasse, l'édifice de Jean Nouvel, une structure en verre aux ondulations élégantes (et succursale des Galeries Lafayette) est certainement une exception. Un cône en verre et miroitant en agrandit l'intérieur. L'immeuble est relié aux îlots 205 et 206 par un passage souterrain.

Pariser Platz

Pariser Platz

Pariser Platz

Friedrich Wilhelm I. hatte den Pariser Platz 1734 anlegen lassen – würdiger Abschluss der Prachtstraße Unter den Linden und Abgrenzung gegen den Tiergarten im Westen (S. 50 rechts).

Hier wohnte, so Heinrich Heine, »die vornehmste Welt Berlins«. Adel, hohe Beamte und Offiziere hatten hier ihre Stadtpalais, unter ihnen Carl von Savigny und General Blücher. Im Haus Nr. 7, gleich neben dem Brandenburger Tor, lebte lange Zeit der Maler Max Liebermann.

Das Brandenburger Tor, Wahrzeichen der Stadt, wurde 1789–1791 von Carl Gotthard Langhans erbaut. Ein neuer Anziehungspunkt entstand 1907 mit dem Luxushotel Adlon.

Der heutige Platz ist ein vollständiger Wiederaufbau, denn nach dem Zweiten Weltkrieg stand nur noch das Brandenburger Tor.

Das Adlon (S. 53 links) und die Häuser Sommer und Liebermann wurden in Anlehnung an die Vorgängerbauten neu errichtet. Die Neubauten stammen von Stararchitekten: Die Dresdner Bank von Gerkan, Marg & Partner (S. 50 rechts), die DZ-Bank von Frank O. Gehry (S. 52, 53), die französische Botschaft – auf ihrem alten Standort – von Christian de Portzamparc und die Akademie der Künste von Günter Behnisch (S. 53). Die Botschaft der USA – ebenfalls auf historischem Terrain – folgt in Kürze.

Frederick William I authorized the development of Pariser Platz in 1734 – a fitting conclusion to the splendour of Unter den Linden and boundary to the Tiergarten in the west (p. 50, right).

"The most distinguished people in Berlin" lived here, as Heinrich Heine put it. The nobility, high-ranking civil servants and officers had their city residences here, among them Carl von Savigny and General Blücher. The painter Max Liebermann lived for a long time in number 7, the house right next to the Brandenburg Gate.

The Brandenburg Gate, the city's landmark, was erected in 1789–1791 by Carl Gotthard Langhans. A new attraction followed in 1907 with the luxury Hotel Adlon.

The current square is a complete reconstruction, for all that was left standing after the Second World War was the Brandenburg Gate.

The Adlon (p. 53, left) and the Sommer and Liebermann Houses were rebuilt to resemble the original buildings. The new structures on the square are the work of star architects: the Dresdner Bank by Gerkan, Marg & Partner (p. 50, right), the DZ-Bank by Frank O. Gehry (p. 52, 53), the French embassy – in its original location – by Christian de Portzamparc, and the Academy of Art by Günter Behnisch (p. 53). The US embassy – which also occupies an historic lot – is slated to follow soon.

Frédéric-Guillaume Ier avait fait construire la Pariser Platz en 1734 — digne clôture du boulevard Unter den Linden et délimitation du Tiergarten à l'ouest. Selon Heinrich Heine, c'est là qu'habitait le « tout-Berlin ». Noblesse, hauts magistraux et officiers y avaient leur hôtel particulier, ainsi Carl von Savigny ou le maréchal Blücher. Le peintre Max Liebermann vécut longtemps au n° 7, juste à côté du Brandenburger Tor. La Porte de Brandebourg, emblème de la ville, fut érigée entre 1789 et 1791 par Carl Gotthard Langhans. L'hôtel de luxe Adlon, ouvert en 1907, devint ensuite un nouveau point d'attraction.

La place actuelle a été complètement remaniée, car après la Deuxième Guerre mondiale, seule subsistait la Porte de Brandebourg. L'hôtel Adlon (p. 53, à gauche) ainsi que les maisons Sommer & Liebermann ont été reconstruites selon des bâtiments historiques. Les nouveaux immeubles ont été dessinés par des grands de l'architecture : la Dresdner Bank par le cabinet Von Gerkan, Marg & Partner (p. 50, à droite), la DZ-Bank par Frank O. Gehry (p. 52, 53), l'ambassade de France — sur son ancien emplacement — par Christian de Portzamparc ainsi que l'Akademie der Künste de Günter Behnisch (p. 53). L'ambassade des États-Unis — elle aussi sur terrain historique — va suivre d'ici peu.

Am 1. August 1958 kehrte die 1945 zerstörte, nun neu gegossene Siegesgöttin auf das Brandenburger Tor zurück. Schadows Figur, die einen von vier Pferden gezogenen Streitwagen führt, galt schon immer als Siegessymbol und Friedensbringerin. Preußens Triumphe wurden stets mit einem Marsch durch das berühmte Tor gefeiert.

On August 1, 1958 the Goddess of Victory – destroyed in 1945 and newly recast – was reinstalled on the Brandenburg Gate. Schadow's figure, driving a chariot pulled by four horses, has always been regarded as a symbol of victory and peace. Victorious campaigns in the Prussian era were celebrated with parades through the famous gate.

C'est le 1er août 1958 que la Victoire, détruite en 1945, retourna dans un nouveau moulage au faîte de la Porte de Brandebourg. Le quadrige réalisé par Schadow était considéré depuis toujours comme symbole de la victoire et message de Paix. Jadis, les triomphes de la Prusse étaient célébrés par des défilés traversant cette fameuse porte.

Seinen ausgefallenen Stil konnte Frank O. Gehry, dessen skulpturale Bauten berühmt sind, für das Äußere der DZ-Bank nicht verwirklichen. Wie alle Architekten am Pariser Platz musste er sich an strenge Gestaltungsvorgaben halten. Hinter der schlichten Fassade jedoch verbirgt sich ein organisch geformter Sitzungssaal.

Frank O. Gehry, famous for his sculptural buildings, was not allowed to apply his unusual style to the exterior of the DZ-Bank. Like all architects working on projects for Pariser Platz he had to adhere to stringent design guidelines. Behind the plain facade, however, lies an organically shaped conference room.

Frank O. Gehry, connu pour ses constructions sculpturales, n'a pu prêter à la façade de la DZ-Bank son style singulier. Comme les autres architectes de la Pariser Platz, il fut contraint d'observer des consignes architecturales strictes. Derrière la façade sobre se cache cependant une salle de réunion de forme organique.

Holocaust-Mahnmal

Unweit vom Pariser Platz wurde im Sommer 2005 das Denkmal für die ermordeten Juden Europas eröffnet. Der amerikanische Architekt Peter Eisenman hat dafür eine schlichte und zugleich monumentale Skulptur entworfen: Über einem unterirdischen Informationszentrum wurden auf dem 20 000 qm großen Grundstück 2 700 Betonstelen aufgestellt. Zwischen 0,5 und 4 Meter hoch und im Abstand von 0,92 Metern stehend, bilden sie ein wogendes Feld aus Pfeilern. »In unserem Denkmal gibt es kein Ziel, kein Ende, keinen Weg hinein oder hinaus«, sagt Eisenman. Er spielt darauf an, dass ein Verstehen des Holocaust, des größten und umfassendsten Genozids der Menschheitsgeschichte, nicht möglich ist. Das Denkmal bedeutet daher »eine kontinuierliche Frage ohne bestimmte Antwort«, wie es der Judaist James E. Young ausgedrückt hat.

Mit der Errichtung des Holocaust-Mahnmals wurde das längst überfällige Vorhaben eingelöst, einen öffentlichen Ort der Trauer und des Gedenkens für die sechs Millionen ermordeten Juden Europas zu schaffen.

Dem Bau des Denkmals gingen zwei große internationale Wettbewerbe und eine lange, zum Teil beschämende Debatte um den Standort, die Form und selbst den Sinn einer solchen Gedenkstätte voraus.

Holocaust Memorial

The memorial in remembrance of the murdered Jews of Europe was opened in Summer 2005 not far from Pariser Platz. The American architect Peter Eisenman has designed a simple and yet monumental sculpture: 2,700 concrete stelae installed on a 20,000-square-metre lot above an underground information centre. Ranging in height between 0,5 and 4 metres and set at a distance of 0.92 metres, they form a surging field of pillars. "In our monument, there is no goal, no end, no path in or out," says Eisenman. He alludes to the fact that it is impossible to comprehend the Holocaust, the most devastating and sweeping genocide in human memory. The memorial thus represents "a never-ending question to which there is no definitive answer" as Jewish scholar James E. Young expressed it.

The erection of the Holocaust Memorial fulfils the long-standing promise of creating a public site of mourning and remembrance for the six million murdered European Jews.

The construction of the memorial was preceded by two major international competitions and a long and at times embarrassing debate as to the location, the form and even the meaning of such a site of remembrance.

Mémorial de l'Holocauste

Situé non loin de la Pariser Platz, le monument commémorant l'extermination des juifs d'Europe a été inauguré en été 2005. L'architecte américain Peter Eisenman a conçu une sculpture à la fois simple et monumentale : 2 700 stèles en béton de 4 mètres de haut maximum sont dressées à 92 centimètres les unes des autres sur un terrain d'une superficie de 20 000 m² pour créer un champ ondoyant ; au-dessous se trouve un centre d'information.

« Notre monument n'a ni but, ni fin, ni accès, ni sortie », déclare Eisenman — allusion au fait qu'il est impossible de comprendre le plus grand génocide de l'humanité qu'est l'Holocauste. Le monument équivaut donc à « une question perpétuelle, sans réponse déterminée », comme l'a formulé le spécialiste du judaïsme, James E. Young.

Avec la construction du monument commémoratif de l'Holocauste, un premier pas, nécessaire depuis longtemps, a été fait pour tenir la promesse de créer un lieu public pour le deuil et la commémoration des six millions de juifs d'Europe assassinés. Deux grands concours internationaux et un long débat, parfois honteux, concernant l'emplacement, la forme et même le sens d'un tel mémorial en ont précédé la construction.

Das Holocaust-Mahnmal wurde auf einem Brachgelände zwischen Pariser Platz und Potsdamer Platz errichtet.

The Holocaust memorial has been erected on the former wasteland between Pariser Platz and Potsdamer Platz.

Le mémorial de l'Holocauste a été érigé entre Pariser Platz et Potsdamer Platz.

Unter den Linden

Unter den Linden

Unter den Linden

Der Boulevard Unter den Linden erstreckt sich zwischen dem Pariser Platz mit dem Brandenburger Tor im Westen und der Schlossbrücke im Osten, in deren Richtung wir blicken. Die breite, mit Linden bepflanzte Allee wurde 1647 angelegt, zuvor führte hier ein Reitweg vom Stadtschloss (heute dort Palast der Republik, S. 57 rechts im Hintergrund) in den Tiergarten.

»Hier drängt sich Prachtgebäude an Prachtgebäude«, schrieb Heinrich Heine 1822. Ein würdiger Auftakt der ›Linden‹ ist das Zeughaus (S. 57 Mitte), heute Sitz des Deutschen Historischen Museums mit dem 2003 fertig gestellten Ausstellungsbau von I. M. Pei, der auch den Innenhof des Zeughauses nach historischem Vorbild mit einem Glasdach versehen hat. Der 1695–1706 als Waffenarsenal errichtete Barockbau war das erste große Repräsentationsgebäude Berlins, denn nach der Krönung des Kurfürsten Friedrich III. zum ersten König Preußens wurde die Stadt zu einer prächtigen Residenz ausgebaut.

Gegenüber liegt das Kronprinzenpalais, das – ursprünglich ein barockes Bürgerhaus – zur Stadtresidenz der Kronprinzen umgestaltet wurde; 1859 kam hier Kaiser Wilhelm II. zur Welt. Direkt daneben erstrahlt seit 2003 die alte Kommandantur in neuem Glanz und beherbergt heute die Berlin-Repräsentanz der Bertelsmann AG und der Bertelsmann-Stiftung.

Ein klassizistisches Meisterwerk ist die Neue Wache, die Schinkel 1816–1818 als ersten seiner vielen Berliner Bauten errichtete. Heute ist sie Gedenkstätte für die Opfer von Krieg und Gewaltherrschaft.

The boulevard Unter den Linden reaches from the Pariser Platz and the Brandenburg Gate in the west to the Schlossbrücke in the east, the direction shown in this image. The wide boulevard, planted with lime trees, was created in 1647, prior to which a riding trail led from the Stadtschloss (today Palace of the Republic, p. 57, right, in the background) to the Tiergarten.

"Here, one splendid building follows another," Heinrich Heine wrote in 1822. The Zeughaus (Armoury, see p. 57, centre), today home to the Deutsche Historische Museum with the exhibition building completed in 2003 by I. M. Pei, who also designed the glass roof of the inner courtyard of the Zeughaus based on historical examples, is a dignified overture to the 'Linden'. The Baroque building erected as an armoury in 1695–1706 was the first monumental building in Berlin, when the city was being expanded into a magnificent capital after the Elector Frederick III was crowned as the first king of Prussia.

The Kronprinzenpalais – a Baroque villa that was converted into a city palace for the Crown Prince – lies on the opposite side; Emperor William II was born here in 1859. Directly next to it the commandant's headquarters, since 2003 houses the Berlin branch of the Bertelsmann AG and the Bertelsmann-Stiftung.

The Neue Wache (or New Guard House, in the foreground) is a Classicist masterpiece built by Schinkel in 1816–1818 as the first of his many buildings in Berlin. Today it is a memorial to victims of war and dictatorship.

Le boulevard Unter den Linden s'étend de la Pariser Platz, avec le Brandenburger Tor à l'ouest, jusqu'à la Schlossbrücke à l'est, vers laquelle se dirige notre regard. Cette large allée plantée de tilleuls fut construite en 1647, là où une piste cavalière menait auparavant du Stadtschloss (l'emplacement actuel du Palast der Republik, p. 57 au fond) jusqu'au Tiergarten.

« Ici, un édifice somptueux jouxte l'autre », notait Heinrich Heine en 1822. Le Zeughaus (p. 57, au centre). Le Zeughaus marque dignement le début des « Linden » et est aujourd'hui le siège du Musée historique allemand doté d'un bâtiment d'exposition construit en 2003 par I. M. Pei, qui a également recouvert la cour intérieure du Zeughaus d'un toit en verre s'inspirant des plans historiques. Le bâtiment baroque érigé entre 1695 et 1706 comme arsenal fut le premier grand immeuble de représentation à Berlin ; en effet, après le couronnement du prince électeur Frédéric III, premier roi de Prusse, la ville devint un somptueux lieu de résidence royale. En face se trouve le Kronprinzenpalais (palais du prince héritier), à l'origine une maison bourgeoise de style baroque et transformée ensuite en résidence princière. C'est ici que naquit en 1859 l'empereur Guillaume II. Tout à côté s'élève depuis 2003 l'ancien bureau du commandant et héberge en son sein totalement réaménagé la représentation Berlinoise de la Bertelsmann AG et de la fondation Bertelsmann-Stiftung.

La Neue Wache (Nouvelle Garde, au premier plan), érigée de 1816 à 1818, est le premier des nombreux édifices construits par Schinkel à Berlin ; ce chef-d'œuvre du classicisme est aujourd'hui un monument commémorant les victimes de la guerre et de la dictature.

Haus Pietzsch, 1992–1995 von Jürgen Sawade errichtet, gehört zu den Nachwende-Bauten auf dem historischen Boulevard. Seit langem stehen auch die großen Linden wieder, die Hitler hatte abholzen lassen. »Unter diesen Bäumen war«, so Heinrich Heine, »der Lieblingsspaziergang so vieler großer Männer, die in Berlin gelebt ...«.

House Pietzsch, built in 1992–1995 by Jürgen Sawade, is one of the post-reunification buildings on the historic boulevard. The large lime trees, which Hitler had cut down, were replanted many years ago. "So many great men, who lived in Berlin," Heinrich Heine wrote, "loved to stroll beneath these trees."

La maison Pietzsch fut construite sur ce boulevard historique entre 1992 et 1995 par Jürgen Sawade. Depuis longtemps se dressent à nouveau les grands tilleuls que Hitler avait fait abattre. « Sous ces arbres est la promenade préférée de tant de grands hommes à Berlin... » (Heinrich Heine)

Bebelplatz

Die Bauten um den Bebelplatz gehen auf eine Idee Friedrichs II. zurück. Mit dem Architekten Knobelsdorff plante er hier das Forum Fridericianum, ein geistiges und künstlerisches Zentrum, das nur teilweise ausgeführt wurde, aber hervorragende Bauten hinterließ: Die 1741–1743 erbaute Königliche Oper (S. 59), als Deutsche Staatsoper noch heute eines der führenden Opernhäuser, soll der erste selbständige Opernbau außerhalb eines Schlosses gewesen sein. Gegenüber entstand 1748–1753 die Stadtresidenz des Prinzen Heinrich, einem Bruder Friedrichs II. Bekannter ist der Bau – eines der wenigen erhaltenen Adelspalais – als Sitz der 1810 gegründeten, heutigen Humboldt-Universität (kleines Bild), die berühmte Gelehrte anzog: Fichte, Hegel und Schleiermacher lehrten hier, Heinrich Heine und Karl Marx haben hier studiert. Ihre Forschungsstätte lag bis zum Bau der Staatsbibliothek in der ›Kommode‹ (S. 59 rechter Bildrand), erste Bibliothek Berlins und letzter, 1775– 1780 ausgeführter Bau des Forums.

Micha Ullmans leere *Bibliothek* unter dem Straßenpflaster des Bebelplatzes gedenkt des 10. Mai 1933, an dem nationalsozialistische Studenten hier die Bücher von ihnen verfemter Autoren verbrannten.

Bebelplatz

The buildings on Bebelplatz originated with one of Frederick II's ideas. Together with architect Knobelsdorff he planned to create the Forum Fridericianum at this location, an intellectual and artistic centre that was only partially completed but left behind several outstanding buildings:

The Royal Opera House from 1741–1743 (p. 59), today's Deutsche Staatsoper, is still a leading opera house, and is the first recorded independent opera house outside of a castle.

The city residence of Prince Henry, a brother of Frederick II, was erected on the opposite side in 1748–1753. The building – one of the few remaining palais – is better known as the seat of the Humboldt University (small image) founded in 1810, which drew many famous scholars to the city: Fichte, Hegel and Schleiermacher taught here; Heinrich Heine and Karl Marx studied here. Until the construction of the Staatsbibliothek, the university's research facilities were housed in the 'cabinet' (p. 59, right margin), Berlin's first library and the last building of the planned forum, completed in 1775–1780.

The vacant Library *by Micha Ullman underneath the paving on Bebelplatz is a memorial to May 10, 1933, when National Socialist students burnt books by 'degenerate' authors on this square.*

Bebelplatz

C'est Frédéric II qui eut l'idée de construire la Bebelplatz. Avec l'architecte Knobelsdorff, il imagina le Forum Fridericianum, un centre de la pensée et de la culture, qui ne fut que partiellement réalisé, mais légua néanmoins quelques remarquables édifices : l'Opéra royal (p. 59), construit de 1741 à 1743, aujourd'hui encore célèbre sous le nom de Deutsche Staatsoper, aurait été, paraît-il, le premier opéra à part entière établi en dehors d'un château. En face fut érigée, de 1748 à 1753, la résidence du prince Henri, un des frères de Frédéric II. L'immeuble — un des rares palais conservés — est plus connu aujourd'hui comme siège de la Humboldt Universität (petite ill.) où enseignèrent des savants aussi célèbres que Fichte, Hegel et Schleiermacher, et où étudièrent également Heinrich Heine et Karl Marx. Le lieu de recherche était la « commode » (p. 59, sur le bord à droite), la première bibliothèque de Berlin et le dernier bâtiment du Forum réalisé entre 1775 et 1780.

La *Bibliothèque* vide de Micha Ullman, sous les pavés de Bebelplatz, commémore le 10 mai 1933, jour où les étudiants nazis brûlèrent ici les ouvrages d'auteurs qu'ils avaient mis à l'index.

Unter den Linden vor 1939: Auf der Mittelpromenade zwischen Bebelplatz und Universität steht das Reiterstandbild Friedrichs II., ein Werk des Berliner Bildhauers Christian Daniel Rauch von 1851. Links Universität und Zeughaus, dahinter die Domkuppel; rechts das heute zerstörte Schloss und der Turm des Roten Rathauses.

Unter den Linden prior to 1939: the equestrian statue of Frederick II, a work from 1851 by Berlin sculptor Christian Daniel Rauch, stands on the central stretch of the promenade between Bebelplatz and the university. To the left, the university and the armoury; to the right, the now destroyed palace and the tower of the Red Town Hall.

Unter den Linden, avant 1939 : sur la promenade du milieu s'élève entre Bebelplatz et l'université une statue équestre de Frédéric II, ouvrage réalisé en 1851 par le sculpteur berlinois Christian Daniel Rauch. À gauche, l'université et le Zeughaus ; au fond, la coupole de la cathédrale ; à droite, le château aujourd'hui disparu et la tour de l'hôtel de ville.

59

Gendarmenmarkt

Hier kampierten 1735–1782 die Gens d'Armes, das Reiterregiment des Soldatenkönigs. Zugleich diente der Platz als Markt der 1688 angelegten Friedrichstadt.

Der Deutsche und der Französische Dom – Gotteshaus der hier ansässigen Hugenotten – wurden schon 1701–1705 erbaut. Erst 1780–1785 fügte Carl von Gontard im Auftrag Friedrichs II. Säulenfronten und Kuppeltürme hinzu.

Seit 1747 gab es hier ein französisches Komödienhaus, aus dem August Wilhelm Iffland das bedeutende Nationaltheater machte. Carl Gotthard Langhans, der Architekt des Brandenburger Tors, schuf dafür 1801 einen Neubau. Auf den Fundamenten dieses bereits 1817 abgebrannten Theaters errichtete Karl Friedrich Schinkel das Schauspielhaus, das 1821 mit Goethes *Iphigenie auf Tauris* eingeweiht wurde und später mit Intendanten wie Gustaf Gründgens Theatergeschichte schrieb. Als Kritiker der Vossischen Zeitung hatte Fontane hier viele Jahre seinen ›Parkettplatz 23‹.

Bevor der Gendarmenmarkt im Zweiten Weltkrieg von Bomben getroffen wurde, galt er als einer der schönsten Plätze Europas. Nach Rekonstruktion der noblen klassizistischen Bauten – Schinkels Theater ist heute Konzerthaus, die Dome sind Museen – verdient er diesen Rang erneut.

Gendarmenmarkt

From 1735 to 1782 this was the encampment of the gens d'armes, the cavalry regiment of soldier-king Frederick William I. The square also served as a market for the town of Friedrichstadt, founded in 1688.

The German and the French Cathedral – place of worship for the Huguenots who settled here – was constructed as early as 1701–1705. At the request of Frederick II, Carl von Gontard added the column fronts and the cupola-crowned towers much later, in 1780–1785.

A French comedic theatre has existed on this site since 1747, and evolved into the important National Theatre under the direction of August Wilhelm Iffland. Carl Gotthard Langhans, the architect of the Brandenburg Gate, designed a new building for the theatre in 1801. Karl Friedrich Schinkel built the Schauspielhaus on the foundations of the theatre, which burned to the ground in 1817: it was inaugurated in 1821 with a performance of Goethe's Iphigenia in Tauris *and became an important centre in theatrical history under the leadership of artistic directors such as Gustaf Gründgens. The writer Theodor W. Fontane held a season ticket to 'orchestra seat No. 23' for many years as a theatre critic writing for the* Vossische Zeitung.

Before the Gendarmenmarkt was destroyed in bombing raids during the Second World War, it was considered one of the most beautiful squares in Europe. Since the reconstruction of the fine Classicist buildings – Schinkel's theatre is now a concert hall, the cathedrals are museums – the square once again deserves this rank.

Gendarmenmarkt

Ici avaient leur camp les Gens d'Armes, le régiment de cavalerie du roi sergent Frédéric-Guillaume Ier, de 1735 à 1782. La place servait également de marché pour le nouveau quartier Friedrichstadt fondé en 1688.

La Cathédrale Allemande et la Cathédrale Française — pour les huguenots domiciliés ici — furent construites entre 1701 et 1705. Ce n'est qu'entre 1780 et 1785 que Carl von Gontard y ajouta les colonnes en façade et les tours avec coupoles. Depuis 1747 se trouvait ici une comédie française, dont August Wilhelm Iffland fit l'éminent Nationaltheater, pour lequel Carl Gotthard Langhans, l'architecte du Brandenburger Tor, érigea en 1801 un nouveau bâtiment. Sur les fondements de ce théâtre, victime d'un incendie dès 1817, Karl Friedrich Schinkel érigea l'opéra actuel qui fut inauguré en 1821 avec *Iphigenie auf Tauris* de Goethe et entra plus tard dans les annales de l'histoire avec des intendants comme Gustav Gründgens. Pendant de longues années, Theodor W. Fontane, alors critique pour le *Vossische Zeitung*, avait ici sa place d'abonné à l' « orchestre 23 ».

Avant sa démolition par les bombes de la Deuxième Guerre mondiale, le Gendarmenmarkt passait pour l'une des plus belles places d'Europe. Depuis la reconstruction des nobles immeubles de style classique — le théâtre de Schinkel sert aujourd'hui de salle de concert, les cathédrales sont devenues des musées —, l'ensemble a reconquis son rang.

Der Vergleich der Bilder aus den Jahren 1896 und 1965 zeigt das Ausmaß der Zerstörung. Noch drei Jahrzehnte nach Kriegsende lag der Platz in Trümmern. Erst 1975 begannen die DDR-Behörden mit dem Wiederaufbau der Gebäude. Das Schauspielhaus, außen originalgetreu rekonstruiert, erhielt innen einen neuen, bedeutend größeren Konzertsaal.

A comparison of these images from 1896 and 1965, respectively, shows the extent of the destruction. Three decades after the end of the war, the square was still in ruins. The GDR authorities began to restore and reconstruct the buildings in 1975. The Schauspielhaus, faithfully reconstructed on the exterior, was furnished with a new, much larger concert hall.

La comparaison des prises de vue (1896 et 1965) prouve l'ampleur de la destruction. Trente ans après la guerre, la place était encore en ruines. Ce n'est qu'en 1975 que les autorités de la RDA se mirent à reconstruire. Le théâtre, dont l'extérieur reprend fidèlement l'original, fut pourvu d'une nouvelle salle de concert, plus grande qu'auparavant.

Museumsinsel, Lustgarten und Berliner Dom

Museum Island, Lustgarten and Berlin Cathedral

Museumsinsel, Lustgarten et Berliner Dom

In einem Zeitraum von 100 Jahren entstand ein weltweit einmaliges Architekturensemble: Eine kleine Spreeinsel, die ausschließlich mit Museen bebaut ist.

Den Auftakt machte Schinkels Altes Museum (S. 63), das bei seiner Einweihung 1830 eines der ersten öffentlichen Museen war. Im Auftrag von Friedrich Wilhelm IV., dem für das Gelände dahinter eine »Freistätte für Kunst und Wissenschaft« vorgeschwebt hatte, errichtete Friedrich August Stüler 1843–1846 das Neue Museum. Antike und ägyptische Kunstschätze wurden hier einst in einer auf sie abgestimmten Dekoration präsentiert.

Der König beauftragte Stüler auch mit dem Bau der Alten Nationalgalerie, einem Haus für die zeitgenössische deutsche Kunst. Der tempelartige Bau, 1866–1876 errichtet, zeugt vom hohen Stellenwert einer Nationalsammlung (S. 64 unten). Die ›Alten Meister‹ nahm das 1904 entstandene Bodemuseum auf, das wie ein Schiffsbug auf der Nordspitze der Insel plaziert ist (S. 64 oben). Für die antike Architektur, wie den berühmten Pergamonaltar, wurde 1909–1930 als letzter der fünf Bauten das Pergamonmuseum geschaffen (S. 62 links, Bildmitte).

Die Restaurierung und Neuordnung der Museen nach der Wiedervereinigung Berlins soll 2010 beendet sein.

An architectural ensemble, unique in the world, was created over the course of a century: a small island in the Spree River reserved exclusively for museum buildings.

Schinkel's Altes Museum (p. 63) launched the ensemble; at the time of its inauguration in 1830 it was one of the world's first public museums. Friedrich August Stüler designed the Neue Museum (1843–1846), commissioned by Frederick William IV, who envisioned the grounds behind the museum as a "sanctuary for the arts and sciences". Antiquities and Egyptian treasures were presented here in a setting in harmony with the exponents.

The king also charged Stüler with the task of building the Alte Nationalgalerie, a house for contemporary German art. The temple-like building, erected from 1866–1876, is an expression of the high value attached to a national collection (p. 64, bottom). The 'Old Masters' were housed in the Bode Museum, completed in 1904, which sits like a ship's prow on the northern tip of the island (p. 64, top). The last and fifth building, the Pergamon Museum was created in 1909–1930 to house the antique architecture collection, such as the famous Pergamon altar (p. 62, left, in centre).

The museums have undergone extensive restoration and restructuring since the reunification of Berlin; the project is scheduled for completion in 2010.

En l'espace d'un siècle, un ensemble architectural unique au monde s'est constitué : une petite île sur la Spree bâtie uniquement de musées. Le Alte Museum de Schinkel, au temps de son inauguration en 1830 l'un des premiers musées ouverts au public, en marqua le début. Sur ordre de Frédéric-Guillaume IV, qui sur le terrain derrière cet édifice imaginait un « lieu d'accueil pour l'art et la science », Friedrich August Stüler érigea de 1843 à 1846 le Neues Museum. Jadis, on montrait ici, dans un décor parfaitement adapté, des trésors de l'art de l'Antiquité et de l'Égypte. Le roi chargea également Stüler de construire la Alte Nationalgalerie, destinée à l'art allemand de l'époque. Édifié de 1866 à 1876, le bâtiment en forme de temple témoigne de la grande importance attachée à une collection nationale (p. 64, en bas). Les « anciens maîtres » sont présentés au Bodemuseum, ouvert en 1904, et placé comme la proue d'un navire sur la pointe au nord de l'île (p. 64, en haut). Pour l'architecture de l'Antiquité et le célèbre « Pergamonaltar » fut construit entre 1909 et 1930 le Pergamonmuseum, dernier des cinq édifices (p. 62, à gauche au milieu).

La restauration et la réorganisation des musées entreprises depuis la réunification devraient être terminées d'ici l'an 2010.

Das Alte Museum steht mit dem Rücken zur Museumsinsel und bildet den nördlichen Abschluss des Lustgartens mit Blick auf den 1893–1905 von Julius Raschdorff erbauten Dom, einem neobarocken Kolossalbau (S. 65). Zu den Kuriositäten der Museumsinsel zählt die S-Bahntrasse, die zwischen Bode- und Pergamonmuseum verläuft.

The Alte Museum faces out from the Museum Island and marks the northern end of the Lustgarten with a view of the cathedral, a colossal neo-Baroque building, erected by Julius Raschdorff from 1893–1905 (p. 65). One of the curious features on the Museum Island is the subway embankment that runs between the Bode and the Pergamon Museums.

Le Altes Museum tourne le dos à la Museumsinsel et forme la bordure du Lustgarten au nord, avec vue sur la cathédrale, gigantesque construction style néo-baroque, érigée entre 1893 et 1905 par Julius Raschdorff (p. 65). Le parcours du métro passant entre le Bodemuseum et le Pergamonmuseum fait partie des curiosités de la Museumsinsel.

Große Kunsthistoriker wirkten hier: Die Ankäufe durch Wilhelm von Bode, ab 1905 Generaldirektor der Museen, verschafften den Sammlungen Weltruf. Hugo von Tschudi, Direktor der Nationalgalerie, kaufte gegen den Geschmack des Kaisers Werke der Impressionisten, sein Nachfolger Ludwig Justi förderte auch Maler der Moderne.

Great art historians have left their legacy here: acquisitions made by Wilhelm von Bode, executive director of the museum complex starting in 1905, brought international renown. Hugo von Tschudi, director of the Nationalgalerie, purchased Impressionist works despite royal objections, and his successor Ludwig Justi also promoted Modernist painters.

D'illustres historiens d'art ont œuvré ici : les acquisitions par Wilhelm von Bode, directeur à partir de 1905, ont valu aux collections une réputation mondiale. Hugo von Tschudi, directeur de la Nationalgalerie, acheta contre le goût de l'Empereur des œuvres impressionnistes. Son successeur Ludwig Justi favorisa aussi les modernes.

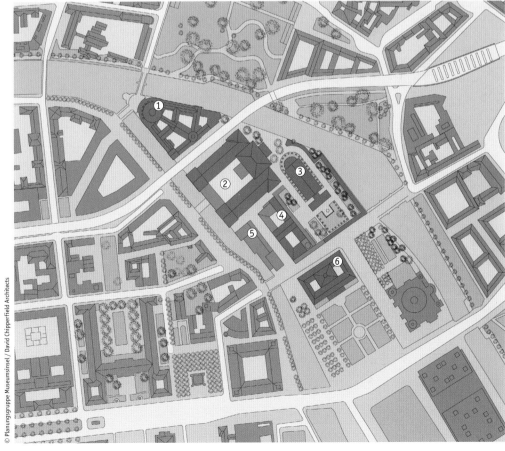

1 Bodemuseum

2 Pergamonmuseum

3 Alte Nationalgalerie

4 Neues Museum

5 Neues Eingangsgebäude
   Entrance
   Entrée

6 Altes Museum

© Planungsgruppe Museumsinsel / David Chipperfield Architects

Nikolaiviertel

Unweit vom Roten Rathaus (S. 67 Mitte), dem Sitz der Berliner Stadtregierung, liegt als Insel zwischen stark befahrenen Verkehrsachsen das Nikolaiviertel.

Hier befand sich der mittelalterliche Siedlungskern Berlins. Zentrum des kleinen Viertels ist die Nikolaikirche mit den Zwillingstürmen, die älteste Pfarrkirche der Stadt. Der untere Teil aus Feldsteinen stammt noch aus der Zeit um 1230, als Berlin die Stadtrechte erhielt. Die Marienkirche (S. 67, linker Bildrand), um 1270 oder 1280 begonnen, gehörte bereits zur Neustadt.

Ihre heutige Form als spätgotische Halle erhielt die Nikolaikirche nach dem großen Stadtbrand von 1380. Im 17. Jahrhundert ist hier Paul Gerhardt, der Dichter vieler evangelischer Kirchenlieder, als Pfarrer tätig gewesen.

Das Viertel ist heute reine, wenn auch charmante Nostalgie: Im Zweiten Weltkrieg wurde es schwer beschädigt und erst 1985–1987 in freier Anlehnung an die historischen Formen wieder aufgebaut. Die Mehrzahl der heutigen Gebäude sind Plattenbauten, welche die Fassaden mittelalterlicher Giebelhäuser grob nachahmen. Nur wenige historische Bauten wurden rekonstruiert, darunter das Haus am Nikolaikirchplatz 7, wo 1752–1755 der Dichter Gotthold Ephraim Lessing gelebt hat.

Nikolaiviertel

The Nikolaiviertel is a district that lies like an island between major traffic arteries not far from the Red Town Hall (p. 67, centre), the seat of the municipal government of Berlin.

This was the medieval town core of Berlin. The Nikolaikirche with its twin towers is the centre of the small district and the oldest parish church of the city. The lower part built of fieldstone dates back to circa 1230, when Berlin first gained its charter rights as a city. The Marienkirche (p. 67, far left), begun circa 1270 or 1280, was already a part of the new city.

The current, Late Gothic hall form of the Nikolaikirche was created after the great fire of 1380. In the 17th century, Paul Gerhardt, who composed many Protestant church hymns, was pastor in this church.

Today the quarter is pure, albeit enchanting, nostalgia: it was heavily damaged in the Second World War and reconstructed in 1985–1987 in a free interpretation of the historic forms. Most of the buildings in this quarter are panel constructions, whose facades are rough imitations of medieval gable-roofed houses. Only a handful of historic buildings were faithfully reconstructed, among others the house on Nikolaikirchplatz 7, where the poet Gotthold Ephraim Lessing lived from 1752–1755.

Nikolaiviertel

Non loin de la Rotes Rathaus (mairie rouge, p. 67, au centre), le siège de la municipalité de Berlin, se situe, coincé entre plusieurs grandes artères, le quartier Nikolai. C'est ici que se trouvait le cœur de l'agglomération de Berlin au Moyen Âge. La Nikolaikirche avec ses tours jumelles, la plus vieille église paroissiale de la ville, constitue le centre du petit quartier.

Sa partie inférieure en moellons date d'environ 1230, époque à laquelle Berlin devint ville de coutume. La Marienkirche (au bord à gauche), commencée vers 1270 ou 1280, faisait déjà partie de la ville nouvelle. La Nikolaikirche reçut sa forme actuelle de style gothique flamboyant à la suite du grand incendie qui ravagea la ville en 1380. Au XVIIe siècle, Paul Gerhardt, auteur d'une multitude de cantiques protestants, fut ici pasteur. Aujourd'hui, le quartier s'adonne complètement à la nostalgie, dans sa forme la plus charmante : gravement endommagé pendant la Deuxième Guerre mondiale, il ne fut reconstruit qu'entre 1985 et 1987 en adaptant très librement les modèles historiques. La plupart des édifices modernes sont des constructions en panneaux imitant grossièrement les façades des maisons médiévales avec pignons. Seulement peu d'édifices ont été reconstruits, ainsi la maison au n° 7 de Nikolaikirchplatz dans laquelle vécut le poète Gotthold Ephraim Lessing de 1752 à 1755.

Das Foto von 1937 zeigt einen Blick über die Spree auf das Rolandufer. Im Hintergrund die Stadtsilhouette mit ihren Kuppeln und Türmen. Von links: Stadtschloss (zerstört), Dom, Nikolaikirche, Rotes Rathaus (1861–1869), das Stadthaus (1902–1911) und die barocke Parochialkirche, deren Turm beim Brand der Kirche 1944 einstürzte.

The 1937 photograph shows a view across the Spree River onto the Roland embankment. The cityscape with cupolas and towers is visible in the background. From left to right: Stadtschloss (destroyed), Cathedral, Nikolaikirche, Red Town Hall (1861–1869), the Stadthaus (1902–1911) and the Baroque Parochialkirche, whose tower collapsed in a fire in 1944.

La photo prise en 1937 montre une vue d'une rive de la Spree sur le Rolandsufer. À l'arrière-plan, la silhouette de la ville avec ses coupoles et ses tours. De g. à dr. : le Stadtschloss (détruit), la cathédrale, la Nikolaikirche, l'Hôtel de Ville (1861–1869), la mairie (1902-1911), ainsi que la Parochialkirche, dont la flèche s'effondra en 1944 lors d'un incendie.

Alexanderplatz

Der Alexanderplatz – benannt nach dem russischen Zaren Alexander I. – hat seine Funktion und sein Gesicht schon häufig verändert.

Er diente als Exerzierplatz, als Woll- und Viehmarkt; seit 1900 entwickelte er sich zu einem der Hauptverkehrsknotenpunkte Berlins. S- und U-Bahn-, Straßenbahn- und Buslinien kreuzten sich hier. Mit den Warenhäusern Tietz und Wertheim sowie dem gefürchteten Polizeipräsidium, Läden, Restaurants und Destillen war er ein urbanes Zentrum, aber – wie in Alfred Döblins berühmtem Roman *Berlin Alexanderplatz* – auch ein Treffpunkt von Halbwelt und Kleinkriminellen.

Ende der 1920er Jahre sollte der Platz vollkommen umgestaltet werden; ausgeführt aber wurden nur die achtgeschossigen Bürohäuser ›Berolina‹ und ›Alexander‹ von dem AEG-Architekten Peter Behrens (Bilder unten) – die einzigen im Zweiten Weltkrieg verschonten Gebäude des Platzes. Völlig neu entstand der ›Alex‹ in den 1960er Jahren als modernes Zentrum Ostberlins. Bauten dieser Zeit prägen noch heute sein Gesicht (S. 68, rechts).

Alexanderplatz

Alexanderplatz – named after the Russian Tsar Alexander – has frequently changed both its function and its appearance.

It served as a parade ground, a wool and cattle market; circa 1900 the square evolved into one of Berlin's principal traffic nodes. Subways (the above-ground S-Bahn and the underground U-Bahn), streetcar and bus lines intersected here. Surrounded by the Tietz and Wertheim department stores, the feared police headquarters, shops, restaurants and bars, it was an urban centre but also – as described in Alfred Döblin's famous novel Berlin Alexanderplatz *– a meeting place of the demimonde and petty criminals.*

Towards the end of the 1920s, the square was to be completely redesigned; the only projects that were executed, however, were the 'Berolina' and the 'Alexander' office buildings designed by AEG architect Peter Behrens (images below), the only structures on the square to survive the Second World War unscathed. The 'Alex' was completely refurbished in the 1960s as the modern centre of East Berlin and the buildings from that era continue to set the tone on the square (p. 68, right).

Alexanderplatz

L'Alexanderplatz, nommée d'après le tsar Alexandre Ier, a souvent changé de fonction et de visage. Elle a servi de champ de mars, de marché aux laines et aux bestiaux ; vers 1900, elle devint l'une des principales plaques tournantes de Berlin. C'est ici que se croisaient les grands réseaux de circulation : trains, métro, tramways et bus. Avec les magasins Tietz et Wertheim, la redoutable préfecture de police, les boutiques, les restaurants et les bistrots, elle constituait un centre urbain bien sûr, mais aussi — comme l'écrivit Alfred Döblin dans son célèbre roman *Berlin Alexanderplatz* — un lieu de rencontre pour le demimonde et les malfrats. À la fin des années 1920, la place devait être remaniée de fond en comble, mais seulement les immeubles de bureaux « Berolina » et « Alexander » furent alors réalisés, par Peter Behrens, l'architecte de l'usine AEG (ill. ci-dessous). Ces immeubles sont les seuls de la place à avoir été épargnés pendant la Deuxième Guerre mondiale. Au cours des années 1960, l'« Alex » fut totalement redéfini comme centre moderne de Berlin-Est. Ce sont les édifices de ce temps-là qui marquent aujourd'hui encore la physionomie de la place (p. 68, à droite).

Am ›Alex‹ wollte sich Ostberlin als moderne Hauptstadt der DDR zeigen. Um den Platz herum entstanden Wohnblöcke. 1965–1969 wurde der 365 Meter hohe Fernsehturm errichtet – das Wahrzeichen Ostberlins. 1969/70 kamen das 30stöckige Interhotel Stadt Berlin (heute Park Inn) und das Warenhaus Centrum (heute Kaufhof) hinzu.

The 'Alex' was East Berlin's showcase project as the modern capital of the GDR. Housing blocks were constructed all around the square. The 365-m-high Fernsehturm (TV tower) – East Berlin's landmark – was erected from 1965–1969. The 30-storey Interhotel Stadt Berlin (today Park Inn) and the Centrum (now Kaufhof) department store followed in 1969/70.

Avec l'« Alex », Berlin-Est voulait donner l'image d'une capitale moderne. De grands ensembles furent construits tout autour, puis, entre 1965 et 1969, se dressa une tour de télévision (365 m) qui devint vite l'emblème de Berlin-Est. En 1969-70 s'ajoutèrent l'Interhotel Stadt Berlin (désormais Park Inn) et les magasins Centrum (Kaufhof).

Karl-Marx-Allee

Karl-Marx-Allee

Karl-Marx-Allee

Die damalige Stalinallee wurde in Rekordbauzeit errichtet. Am 3. Februar 1952 legte Otto Grotewohl, Ministerpräsident der DDR, den Grundstein. Schon am 1. Mai 1953 waren die ersten der 5000 Wohnungen bezugsfertig.

Die hohen Arbeitsnormen aber hatten nach anfänglichen Protesten der Bauarbeiter zum Aufstand des 17. Juni 1953 geführt, der von sowjetischen Panzern niedergeschlagen wurde.

Die Abmessungen der »ersten Straße des Sozialismus« sind monumental: Eine 1,8 Kilometer lange, 80 Meter breite Magistrale wird von sieben- bis neungeschossigen Wohnblöcken gesäumt. Hier entstanden keine schlichten Häuserzeilen, sondern »Wohnpaläste für das Volk«.

Die Mischung aus sowjetischer Zuckerbäckerarchitektur und klassizistischen Formen mit Bauschmuck, Meißener Porzellankacheln, Gesimsen und Säulen zeigt die Suche nach einem neuen, sozialistischen Baustil. Die DDR wollte keine »amerikanischen Kästen« haben.

Wegen ihrer guten Ausstattung waren die Wohnungen äußerst begehrt. Unten lagen Geschäfte und öffentliche Einrichtungen. Das Café Warschau oder das Haus des Kindes waren Institutionen in Ostberlin.

Ab 1995 wurden die Blöcke saniert; ihre Anziehungskraft aber hat die einst so belebte Zeile noch nicht zurückgewonnen.

The Stalinallee, as it was originally called, was built in record time. Otto Grotewohl, head of state of the GDR, laid the foundation stone on February 3, 1952. On May 1, 1953, the first units of a total of 5,000 apartments were already completed and ready for occupation.

The ambitious work schedule unleashed a construction workers' strike and ultimately led to the uprising on June 17, 1953, forcefully suppressed with Soviet tanks.

The dimensions of the "foremost street of Socialism" are monumental: a 1.8-km-long, 80-m-wide principal avenue bordered by 7- to 9-storey-high housing blocks. These weren't mere housing blocks, however, but "housing palaces for the people".

The blend of Soviet 'ginger-bread' architecture and classicist forms with ornamentation, Meissen porcelain tiles, cornices and columns, is testimony to the search for a new, socialist building style. The GDR did not want to create "American containers".

The apartments were highly sought after because of their exclusive appointments and amenities. Shops and public facilities occupied the ground floors. The Café Warschau and the 'Haus des Kindes' (Children's House), for example, were famous fixtures in East Berlin.

The blocks were renovated after 1995 but the once lively strip has yet to regain its former appeal.

L'ancienne Stalinallee fut construite en un temps record. Le 3 février 1952, Otto Grotewohl, premier ministre de la RDA, en posa la première pierre. Dès le 1er mai 1953, les premiers logements (sur les 5000 projetés) étaient livrables. Les rudes conditions de travail engendrèrent des mouvements de protestations des ouvriers qui finirent par amener la révolte du 17 juin 1953, réprimée par des chars soviétiques.

Les dimensions de la « première rue du socialisme » sont colossales : une grande artère (1,8 km de long, 80 m de large) est bordée d'immeubles d'habitation de sept à neuf étages. Il ne s'agit pas de simples alignements de maisons jaillis du sol, mais de « palais résidentiels pour le peuple ».

Le mélange d'architecture tarabiscotée soviétique et de formes empruntées au répertoire classique, le tout orné de carreaux en porcelaine de Meissen, de corniches et de colonnes, illustre à merveille la recherche d'un nouveau style architectural proprement socialiste. La RDA ne voulait pas de ces « boîtes carrées américaines ». Fort bien équipés, ces logements étaient très convoités. Au rez-de-chaussée se trouvaient boutiques et infrastructures publiques, comme le Café Warschau ou la Maison de l'Enfant — deux institutions de Berlin-Est. À partir de 1995, les bâtiments furent modernisés, mais l'artère jadis si animée n'a pas encore retrouvé son charme d'antan.

Von zwei Platzanlagen wird die Allee eingefasst: Im Westen durch den Strausberger Platz (rechtes Bild), der mit seinen Hochhäusern eine städtebauliche Torsituation schafft. Im Osten durch das Frankfurter Tor (links) mit den hohen Ecktürmen, die sich bewusst an den Gonthardschen Türmen auf dem Gendarmenmarkt orientieren.

The avenue is bracketed by two squares: to the west by the Strausberger Platz (image right), whose high-rises create an urban gate situation. And to the east by the Frankfurter Gate (left) whose tall corner towers are deliberately modelled after Gonthard's towers on the Gendarmenmarkt.

L'allée est bordée de deux places : à l'ouest, la Strausberger Platz (ill. de dr.) dont les grands immeubles créent comme une porte urbaine ; à l'est, la Frankfurter Tor (à g.) avec ses hautes tours d'angle, qui correspondent délibérément aux tours de Gonthard sur le Gendarmenmarkt.

Prenzlauer Berg

Der Prenzlauer Berg ist fast ein Mythos. Zu DDR-Zeiten bot der Bezirk eine Nische für Andersdenkende und nach der Wende hat er den Westberliner Kreuzberg als Szenebezirk abgelöst.

Große Anziehungskraft hat auch das Stadtbild – rechts die Rykestraße mit Blick auf den fast 130 Jahre alten, bewohnten Wasserturm – , das den Charakter des 19. Jahrhunderts fast vollständig bewahrt hat und seinen Charme heute aus der Mischung von Marodem und Restauriertem bezieht. Nostalgisch hergerichtete Fassaden und schicke Lokale aber täuschen über die Folgen der Modernisierungen hinweg, die die Verdrängung der alteingesessenen, oft weniger wohlhabenden Bevölkerung befürchten lassen. Ursprünglich war der Prenzlauer Berg der am dichtesten besiedelte Arbeiterbezirk Berlins. Die Mietskasernen hinter den schönen Stuckfassaden waren berüchtigt.

Eine Institution im Bezirk ist die Kulturbrauerei: Ein multikulturelles Zentrum und zugleich ein einzigartiges Industriedenkmal des 19. Jahrhunderts. In den Gärhäusern, Flaschenabfüllanlagen, Kontorgebäuden und Maschinenhallen einer 1887 erbauten Schultheiss-Brauerei wurden Ateliers, Büros, Kinos, Lokale und Läden eingerichtet, gibt es heute Veranstaltungen und Ausstellungen.

Prenzlauer Berg

The Prenzlauer Berg has gained an almost mythical reputation. In the GDR era, the district was a refuge for dissidents, and after the reunification, the alternative scene shifted from the West-Berlin Kreuzberg district to Prenzlauer Berg.

The quarter presents an appealing image – to the right, the Rykestrasse with a view of the nearly 130-year-old, inhabited water tower – where the 19th-century character has been almost completely preserved, deriving its charm from a blend of dilapidation and restoration. But nostalgically refurbished facades and trendy eateries obscure the consequences of this modernisation, which threatens to displace the well-established residents, many of whom are less affluent. Prenzlauer Berg was once the most densely populated workers' district in Berlin. The tenement blocks, hidden behind beautiful stucco facades, were notorious.

The Kulturbrauerei is one of the district's landmarks: a multicultural centre and at the same time a unique industrial monument of the 19th century. The fermenting cellars, bottling plant, office wings and machine halls of the Schultheiss Brewery, built in 1887, have been converted into studios, offices, bars, restaurants and shops where cultural events and exhibitions are held today.

Prenzlauer Berg

Le Prenzlauer Berg est presque un mythe. Si, au temps de la RDA, ce quartier permettait aux dissidents de se faire oublier, il a pris la relève de Kreuzberg, après la réunification, comme quartier « branché ». Le paysage urbain, qui a bien préservé son caractère XIXᵉ siècle, y a beaucoup d'attrait. Ce charme se nourrit à la fois de l'état de délabrement de certains bâtiments et, d'autre part, de la beauté des édifices restaurés. (À droite, la Rykestrasse avec vue sur un château d'eau de presque 130 ans, aujourd'hui habité.) Mais ni les façades remaniées à l'ancienne, ni les cafés chic ne trompent sur les conséquences de cette modernisation qui fait craindre l'éviction d'une population bien implantée et souvent peu aisée. À l'origine, Prenzlauer Berg était le quartier ouvrier de Berlin le plus densément peuplé. Les « cages à lapins » que dissimulaient les belles façades en stuc étaient tristement célèbres. Aujourd'hui, la Kulturbrauerei (Brasserie culturelle) est une des grandes institutions du quartier : il s'agit d'un centre multiculturel et, en même temps, d'un monument industriel du XIXᵉ siècle unique en son genre. Dans les caves de fermentation, les installations d'embouteillage, les immeubles à comptoirs et les salles de machines de cette ancienne brasserie (construite en 1887), ont été aménagés des ateliers, bureaux, salles de cinéma, cafés et boutiques, où ont lieu toutes sortes de manifestations et expositions.

Seit Anfang der 1990er Jahre läuft die Sanierung der Altbauten. Nicht nur die Fassaden, auch ca. 32 000 Wohnungen mussten modernisiert werden. 1998–2000 wurde das große Terrain der Kulturbrauerei hergerichtet. Wo früher Fässer gerollt wurden, kann nun Bier getrunken werden.

The old blocks have been under renovation since the 1990s. The upgrades focus not only on the facades; some 32,000 units have to be modernised. The large Kulturbrauerei complex was refurbished from 1998–2000. Where beer barrels once rolled down the ramps, patrons can now enjoy a pint.

La réhabilitation du périmètre est en cours depuis le début des années 1990. Il s'agit de moderniser les façades, mais surtout quelque 32 000 logements.
Entre 1998 et 2000 fut aménagé le vaste terrain de la Kulturbrauerei. Là où jadis les tonneaux de bière attendaient le chargement, le visiteur peut boire une choppe.

Hackesche Höfe

Hackesche Höfe

Hackesche Höfe

Auf dem Gelände zwischen Hackeschem Markt (S. 75) und Sophienstraße legte der Architekt Kurt Berndt 1905 acht Wohn- und Gewerbehöfe an. Mit 10 000 Quadratmetern Fläche soll es einst der größte Hofkomplex Europas gewesen sein.

Berühmt aber wurden die Hackeschen Höfe durch den ersten Hof, den man vom Eingang am Hackeschen Markt erreicht. Er wurde mit bunt glasierten Ziegeln im damals modernen Jugendstildesign verkleidet, für das der Berliner Architekt August Endell verantwortlich war. Endell stattete auch die einst in diesem Hof gelegenen Restaurants und Festsäle aus.

90 Wohnungen von gehobenem Standard lagen in den Höfen. Die Bewohner kamen aus der Mittelschicht; darunter viele Juden, denn die Gegend um den Hackeschen Markt und auch das angrenzende Scheunenviertel waren traditionelle jüdische Wohngebiete.

Außerdem gab es verschiedenste Gewerbe und Läden: Eine Mantel- und eine Kistenfabrik, ein Frucht- und ein Buttergeschäft, eine Bankniederlassung, die Korsetthandlung Bella Schornstein und auch den jüdischen Mädchenclub.

Die Anlage wurde 1995/96 vorbildlich saniert. Heute findet man hier schicke Läden, Kinos und Gastronomie.

In 1905 the architect Kurt Berndt designed eight apartment and commercial courts on the terrain between the Hackesche Market (p. 75) and Sophienstrasse. With a total area of 10,000 square metres, the courtyard complex named after Commandant von Hacke was once the largest of its kind in Europe.

But the Hackesche Höfe became famous for the first courtyard, reached from the entrance on the Hackesche Market. It was ornamented with colourful glazed bricks in the then modern Art Nouveau design conceived by Berlin architect August Endell. Endell also designed the interiors of the restaurants and halls formerly located in the courtyard.

Ninety exclusive apartments overlooked the courtyards. The occupants were middle class citizens, among them many Jews since the areas around the Hackesche Market and the adjacent Scheunenviertel were traditional Jewish neighbourhoods.

The district also featured a wide variety of trades and shops: a coat and a crate manufacture, a fruit and a butter shop, a bank, the Bella Schornstein corset dealership and a Jewish Girls' club.

The complex was beautifully restored in 1995/96. Today it is home to chic boutiques, cinemas and restaurants.

Sur le terrain entre le Hackescher Markt (p. 75) et la Sophienstrasse, l'architecte Kurt Berndt avait prévu en 1905 un ensemble de commerces et de logements organisé autour de huit cours intérieures. Avec une superficie de 10 000 m², cet ensemble était alors le plus grand du genre en Europe. C'est surtout la première cour, dans laquelle on accède à partir du Hackescher Markt, qui a rendu célèbres les Hackesche Höfe. En effet, les murs furent recouverts de briques cuites multicolores conçues dans le Jugendstil alors très à la mode. L'architecte berlinois August Endell, responsable du projet, aménagea également les restaurants et les salles de cérémonies situés, dans le temps, autour de cette cour. Se trouvaient là également 90 logements de haut niveau, habités par des représentants de la moyenne bourgeoisie, dont beaucoup de juifs. De fait, le secteur du Hackescher Markt et du Scheunenviertel voisin était traditionnellement quartier d'habitation juif. Plusieurs commerces et de magasins étaient regroupés ici : fabrique de manteaux ou de cagettes, magasin de fruits ou crémerie, succursale d'une banque, boutique de corsets Bella Schornstein, mais aussi le club des jeunes filles juives. L'ensemble a été restauré en 1995-1996 de façon exemplaire. On y trouve aujourd'hui des boutiques, des cinémas et des restaurants.

Durch dunkle Ziegel wurde die Ostseite des ersten Hofs besonders betont. Hier lagen die Neumannschen Festsäle. Die Straßenfront – links um 1910 – wurde vereinfacht wiederhergestellt, die rechte Seite des Hackeschen Marktes 1997–1999 neu bebaut. Benannt sind Platz und Höfe nach dem um 1750 hier tätigen Kommandanten von Hacke.

Dark brickwork emphasized the east wall of the first courtyard where the Neumannsche banquet halls were located. The street front – shown at left, in an image from circa 1910 – has been recreated in a simplified reconstruction, while new developments (1997–1999) now occupy the right side of the Hackesche Market.

Des briques foncées accentuaient la façade de la première cour, où se trouvaient les salles des fêtes Neumann. La façade sur rue — à gauche, vers 1910 — fut reconstruite dans une version simplifiée de la composition d'origine ; le côté droit du marché fut rétabli en 1997-1999. L'ensemble doit son nom au commandant Von Hacke, actif ici vers 1750.

Oranienburger Straße

Dem Mut eines Polizisten ist es zu verdanken, dass die Neue Synagoge die Pogromnacht vom 9. November 1938 überstand. Er vertrieb die brandschatzenden SA-Leute und rief die Feuerwehr. Erst die Bombenangriffe im Zweiten Weltkrieg zerstörten den Bau. Errichtet wurde das jüdische Gotteshaus in maurischen Stilformen mit einer Front aus farbig glasiertem Backstein von den – übrigens christlichen – Baumeistern Eduard Knoblauch und Friedrich August Stüler.

Mit 3 000 Plätzen war sie die größte Synagoge der Stadt und zugleich ein Zeugnis der Gleichstellung der damals 20 000 Berliner Juden. Preußische Minister, darunter Otto von Bismarck, kamen 1866 zur Einweihung.

Erst 1988–1995 wurde die Synagoge wieder aufgebaut und beherbergt heute das Centrum Judaicum. Die goldglänzende Kuppel ist Teil der Berliner Stadtsilhouette.

Die Oranienburger Straße bildete einst ein Zentrum der jüdischen Gemeinde mit Kranken-, Waisenhaus und Hochschule. Ursprünglich lag hier – um das im Zweiten Weltkrieg zerstörte Schloss Monbijou – ein Nobelviertel. Mit dem Bau von Fabriken vor dem Oranienburger Tor änderte sich jedoch die Bevölkerungsstruktur.

Heute ist die Gegend mit vielen Restaurants ein beliebtes Ausgehviertel.

Oranienburger Strasse

It is thanks to the courage of a policeman that the New Synagogue survived the 'Reichspogrom'night on November 9, 1938. He chased the SA hooligans who were setting fire to the building from the site and called the fire department. The building was later destroyed by bombing raids in the Second World War. The Jewish house of prayer was designed in the Moorish style with a front in colour-glazed brick by Christian architects Eduard Knoblauch and Friedrich August Stüler.

With a seating capacity of 3,000 it was the largest synagogue in the city and also an expression of the equality which had been granted to the 20,000 Jews who lived in Berlin at the time. Prussian ministers, among them Otto von Bismarck, attended the inauguration in 1866.

The synagogue was reconstructed from 1988–1995 and now houses the Centrum Judaicum. The golden cupola is part of the Berlin skyline.

Oranienburger Strasse was once a centre of the Jewish community with a hospital, an orphanage and a post-secondary school. The area had originally been an exclusive enclave around Castle Monbijou, destroyed in the Second World War. The demographics changed, however, with the construction of factories in front of Oranienburg Gate.

Today, the many restaurants make the district into a popular night spot.

Oranienburger Strasse

C'est grâce au courage d'un policier que la Nouvelle Synagogue est restée quasiment indemne lors de la « Reichspogromnacht » du 9 novembre 1938. En effet, il chassa les hommes de la SA qui essayaient de mettre le feu et appela aussitôt les pompiers. Ce sont les bombes de la Deuxième Guerre mondiale qui ont anéanti l'édifice. Celui-ci avait été conçu avec des formes de style mauresque et une façade en briques cuites multicolores par les bâtisseurs — chrétiens, du reste — Eduard Knoblauch et Friedrich August Stüler.

Avec ses 3 000 places, elle était la plus grande synagogue de la ville, et à la fois la preuve de l'assimilation des 20 000 juifs que Berlin comptait à l'époque. Plusieurs ministres du gouvernement prussien, dont Otto von Bismarck, assistèrent à son inauguration en 1866.

La synagogue ne fut reconstruite qu'entre 1988 et 1995 ; elle héberge aujourd'hui le Centrum Judaicum, et sa coupole dorée est à nouveau intégrée dans le panorama de la ville. Avec son hôpital, son orphelinat et son école supérieure, l'Oranienburger Strasse formait jadis un centre de la communauté juive.

À l'origine, se trouvait ici — autour du château Monbijou, détruit pendant la Deuxième Guerre mondiale — un quartier chic, qui changea peu à peu de structure démographique avec la construction de fabriques devant la Oranienburger Tor. Aujourd'hui, le quartier est très apprécié pour ses nombreux restaurants et possibilités de sortie.

1942 wurde der Bau – hier auf Fotos aus dem Jahr 1988 – zerstört. Nur die Front und den vorderen Teil hat man wieder aufgebaut. Der Umriss des hinteren Traktes mit dem ehemaligen Hauptgebetssaal (rechts) wird heute durch Steine auf dem Boden der Freifläche hinter dem Gebäude markiert.

The building – shown here in 1988 – was destroyed in 1942. Only the facade and the front section were reconstructed. Stones on the open ground behind the building trace the outline of the rear wing containing the former principal prayer hall (right).

L'immeuble — ici, vers 1988 — fut détruit en 1942. Seules la façade et la partie avant de l'édifice furent reconstruites. Le dessin des pierres dans le sol de l'espace libre retrace les contours de l'aile arrière de l'ancien bâtiment (salle principale des prières, à droite).

Hamburger Bahnhof

Hamburger Bahnhof

Hamburger Bahnhof

In unmittelbarer Nähe des zukünftigen Lehrter Großbahnhofs befindet sich der ehemalige Hamburger Bahnhof aus den Anfängen des Eisenbahnzeitalters. Friedrich Neuhaus und Ferdinand Wilhelm Holz haben ihn 1845–1847 für die Strecke nach Hamburg erbaut. Die erste Fahrt, die am 12. Dezember 1846 stattfand, dauerte zwölf Stunden. Der schöne spätklassizistische Bau ist das älteste erhaltene Bahnhofsgebäude Berlins und der älteste noch vorhandene Kopfbahnhof Deutschlands. Mit der rasanten Entwicklung des Eisenbahnwesens konnte der Bau kaum 40 Jahre mithalten; 1884 wurde er stillgelegt und fortan als Museum genutzt. Den Verkehr übernahm der 1869–1871 errichtete, weitaus größere Lehrter Bahnhof, der im Zweiten Weltkrieg zerstört wurde.

Auch der Hamburger Bahnhof wurde 1944 schwer getroffen und blieb wie der Martin-Gropius-Bau mehr als 40 Jahre eine ungenutzte Ruine. Erst ab 1987 wurde er für Kunstausstellungen hergerichtet. 1990–1996 hat Josef Paul Kleihues das Gebäude umgebaut und einen weiteren Ausstellungsflügel angefügt. Heute wird hier zeitgenössische Kunst gezeigt.

Dan Flavins Lichtinstallation, welche die weiße Fassade in ein kühles Neonblau taucht, macht auch den Bau zum Kunstwerk.

The former Hamburger Bahnhof, which dates back to the early period of the railways, lies in close proximity to the large new Lehrter station, now under construction. Friedrich Neuhaus and Ferdinand Wilhelm Holz built the original station in 1845–1847 for trains running on the Hamburg route. The first ride on December 12, 1846 took twelve hours. The stunning late Classicist building is one of the oldest surviving station buildings in Berlin and the oldest surviving head terminal in Germany. The station only managed to keep pace with the breathtaking development in rail traffic for forty years; it was closed in 1884 and converted into a museum. The much larger Lehrter railway station was constructed in 1869–1871 to accommodate the increased traffic; it was destroyed in the Second World War.

The Hamburger Bahnhof was also heavily damaged in 1944 and, like the Martin-Gropius-Building, stood as an empty ruin for over forty years. It was restored after 1987 and used for art exhibitions. Josef Paul Kleihues converted the structure in 1990–1996 and added an exhibition wing. Today the building is used for contemporary art shows.

Dan Flavin's light installation, bathing the white facade in a cool neon blue, transforms the building into a work of art.

À proximité de la future grande gare « Lehrter Bahnhof » se trouve l'ancienne gare « Hamburger Bahnhof » qui date des débuts de l'ère du chemin de fer. Friedrich Neuhaus et Ferdinand Wilhelm Holz la construisirent entre 1845 et 1847 pour la ligne Berlin-Hambourg. Le premier voyage, qui eut lieu le 12 décembre 1846, dura douze heures. Le bel ouvrage du classicisme tardif est le plus ancien du genre conservé à Berlin et la plus ancienne gare de tête de ligne encore existante en Allemagne. L'édifice n'a pu suivre l'évolution ferroviaire que 40 ans à peine ; il fut fermé en 1884 et sert depuis de musée. Cette gare fut supplantée par la Lehrter Bahnhof, plus grande. Construite entre 1869 et 1871, celle-ci fut détruite pendant la Deuxième Guerre mondiale. La Hamburger Bahnhof fut elle aussi gravement endommagée en 1944 et resta plus de 40 ans à l'abandon — tout comme le Martin-Gropius-Bau, d'ailleurs. Ce n'est qu'à partir de 1987 qu'elle fut aménagée en lieu d'exposition. De 1990 à 1996, Josef Paul Kleihues a transformé le bâtiment et y a ajouté une aile supplémentaire. Aujourd'hui, on présente ici de l'art contemporain. L'installation lumineuse de Dan Flavin qui plonge la façade blanche dans un bleu néon et froid fait du bâtiment même une œuvre d'art.

1906 eröffnete im Hamburger Bahnhof das Königliche Verkehrs- und Baumuseum. Zu diesem Zweck hatte man die Halle mit einer neuen Eisenkonstruktion versehen. Rechts ist ein Blick in die Haupthalle mit den Ausstellungsvitrinen im Jahr 1935 zu sehen. Das Schmuckrondell vor dem Eingang war einst eine Drehscheibe für die Züge.

In 1906 the Royal Traffic and Public Works Museum opened in the Hamburger Bahnhof. The hall had been fitted with a new iron construction for this purpose. A view into the principal hall with the display cases in 1935 is shown to the right. The ornamental circle in front of the entrance was once a turning platform for trains.

En 1906 fut inauguré, à l'intérieur de Hamburger Bahnhof, le Musée royal du Transport et de la Construction. Le grand hall fut alors muni d'une nouvelle structure en acier. À droite, une vue dans la salle principale avec les vitrines datant de 1935. Le parterre rond décoratif devant l'entrée de la gare servait jadis de plaque tournante pour les trains.

Nicht nur der Fall der Mauer, auch der Entschluss, Berlin wieder zum Regierungssitz der Bundesrepublik zu machen, hat tief greifende Veränderungen für die Stadt gebracht. Ganz neue Bauaufgaben standen nun an. Große Baukomplexe für Regierung, Parlament und Ministerien mussten bereitgestellt werden. Der Hauptstadtstatus zog auch eine Anzahl weiterer Einrichtungen nach sich. Parteizentralen, die großen Sendeanstalten, die diplomatischen Vertretungen und viele andere Institutionen kamen nun nach Berlin und benötigten eine repräsentative und modernen Maßstäben entsprechende Unterkunft. Prominente Gebäude sind darunter, die schon in der Planungsphase von sich Reden gemacht haben: An erster Stelle natürlich der Neubau des Kanzleramtes, der aufgrund seines hohen Symbolgehalts wohl das am aufmerksamsten verfolgte und am heftigsten diskutierte Gebäude der ganzen Republik ist.

Auch das Bundespräsidialamt als Ergänzung des Schlosses Bellevue erhielt einen interessanten, wenn auch anfänglich nicht unumstrittenen Neubau im Tiergarten. Die Mehrzahl der Ministerien aber wurde in Altbauten untergebracht, die allerdings aufwändig hergerichtet und zum Teil auch mit Anbauten versehen wurden. Die meisten Umbauten gingen ganz routinemäßig vonstatten, wie die Umgestaltung des ehemaligen Preußischen Herrenhauses in der Leipziger Straße, in dem heute der Bundesrat sitzt.

Große Aufmerksamkeit aber erhielt der Wettbewerb zum Umbau des Reichstagsgebäudes. Der britische Stararchitekt Lord Norman Foster gestaltete den berühmten wilhelminischen Monumentalbau schließlich zum Sitz des Bundestags um. Ein besonderer Clou ist die über Rampen begehbare neue Glaskuppel, die direkt über dem Plenarsaal liegt – ›das‹ Wahrzeichen der neuen Hauptstadt Berlin.

Während Bundesrat, Bundestag und andere Einrichtungen in Bauten der Kaiserzeit unterkamen, sah die Situation für das Auswärtige Amt und das Finanzministerium problematischer aus. Beide traten ein politisch belastetes bauliches Erbe an, denn sie zogen in Baukomplexe, die einst das NS-Regime hatte errichten lassen und die später auch von der Regierung der DDR als Amtssitze genutzt worden waren.

Auch das Arbeitsministerium ist in einem NS-Gebäude, dem einstigen Propagandaministerium an der Mauerstraße, untergebracht.

Nach anfänglichen Skrupeln und Überlegungen, zumindest das heutige Finanzministerium abzureißen, entschloss man sich, die Bauten ungeachtet ihrer ursprünglichen Zweckbestimmung als neutrale, benutzbare Objekte zu betrachten. Umfassende Modernisierungsarbeiten nahmen wenigstens dem Inneren der Gebäude etwas von ihrer kalten Wucht und der Last ihrer Vergangenheit.

Ein Regierungsviertel im strengen Sinn oder gar ein ›Machtzentrum‹, wie es vor dem Zweiten Weltkrieg in der zentralen Wilhelmstraße lag, ist in Berlin

Berlin has undergone far-reaching changes not only since the fall of the Wall but also as a result of the decision to reinstate the city as the seat of government of the German Republic. This led to an entirely new set of building tasks. Large complexes for government, parliament and ministries had to be readied. Its status as the capital also brought a number of other institutions into the city. Party headquarters, major broadcasters, diplomatic missions and many other institutions moved to Berlin and needed appropriately representative accommodations that met modern standards. Several prominent buildings attracted a lot of attention even during the planning phase: first and foremost the new Chancellery building, which – owing to its charged symbolic stature – is perhaps the most studied and heatedly debated building in the entire Republic.

As an addition to Bellevue Castle, the Office of the Federal President was also assigned an interesting, although at first contentious new home in the Tiergarten. Most ministries, however, were housed in existing buildings, although most have been elaborately renovated and in some cases expanded with new additions. The majority of the conversions went ahead without a hitch, such as the redesign of the former Prussian palace in Leipziger Strasse, which is now the home of the Federal Council.

One exception was the competition for the new Reichstag design. In the end, the British star architect Lord Norman Foster converted the famous Wilhelminian monumental building into the new seat of the Bundestag (Federal Parliament). The new glass cupola, with ramps for pedestrian access directly above the plenary hall, is the trademark of the new capital Berlin.

While the Federal Council, the Federal Parliament and other institutions were installed in buildings dating back to the Kaiser era, the situation was far more problematic for the Department of Foreign Affairs and the Ministry of Finance. Both institutions had to cope with a politically burdened architectural legacy as they moved into building complexes that had once been erected by the National Socialist regime and had subsequently been used as official residences.

The Department of Employment is also housed in a National Socialist building, the former propaganda ministry on Mauerstrasse.

After initial deliberations on whether to demolish the building that is now the Department of Finance, a decision was made to regard the buildings as neutral, useable objects, regardless of their original purpose. Extensive upgrades succeeded in erasing some of the frosty atmosphere and burdensome past, at least in the buildings' interior.

A government district in the strict sense or even a 'centre of power' reminiscent of the area along central Wilhelmstrasse prior to the Second World War has not been recreated in Berlin. The government buildings, new and old, are loosely distributed across the centre

Non seulement la chute du Mur, mais également la décision de rendre à Berlin son titre de siège du gouvernement de la République Fédérale d'Allemagne, entraînèrent de profonds changements pour la ville. Le statut de capitale attira également de nombreuses autres organisations. Les sièges des partis politiques, des grandes chaînes de télévisions, des radios, les représentations diplomatiques et beaucoup d'autres institutions s'installèrent alors à Berlin, où il leur fallait des bureaux représentatifs et parfaitement équipés. Parmi ces nouveaux bâtiments, certains devinrent célèbres dès la phase de planification. Ainsi le nouvel édifice de la Chancellerie qui, en raison de sa forte signification symbolique, est sans doute celui auquel on prête le plus d'attention et qui est le plus sujet aux controverses dans tout le pays.

Le siège de la présidence fédérale, qui jouxte le château Bellevue, s'est vu à son tour recevoir une nouvelle construction dans le quartier du Tiergarten, non sans essuyer certaines critiques à ses débuts. La majorité des ministères furent cependant transférés dans d'anciennes bâtisses qui, il est vrai, furent amplement rénovées et auxquelles des annexes furent parfois ajoutées. La plupart des rénovations se sont effectuées de façon routinière, comme la transformation de l'ancienne maison seigneuriale prussienne dans la Leipziger Strasse, où siège aujourd'hui le Bundesrat (Conseil fédéral).

La rénovation du bâtiment du Reichstag fit néanmoins l'objet d'une plus grande attention. Ce fut le grand architecte britannique Lord Norman Foster qui transforma le célèbre monument en siège du Bundestag (Parlement fédéral). La coupole en verre surplombant la salle plénière, et accessible par une rampe montante, constitue une attraction originale — *le* symbole de la nouvelle capitale.

Alors que le Bundesrat, le Bundestag et d'autres organisations sont installés dans des bâtiments datant de l'Empire (Kaiserzeit), la situation pour le ministère des Affaires étrangères et le ministère des Finances s'avéra plus problématique. Ceux-ci héritèrent d'un patrimoine architectural dont le passé politique était chargé : en effet, ils emménagèrent dans des édifices d'abord construits par les national-socialistes puis utilisés comme siège administratif par le gouvernement de la RDA. Le ministère du Travail est établi, lui aussi, dans un ancien bâtiment national-socialiste, situé le long de la Mauerstrasse, le ministère de la Propagande de l'époque.

Après les hésitations et réflexions du début, concernant tout du moins la destruction du bâtiment où se trouve actuellement le ministère des Finances, il fut décidé de ne plus se soucier de l'affectation initiale de ces édifices, mais de les considérer comme des biens neutres. De vastes travaux de modernisation leur ôtèrent, du moins à l'intérieur, une partie de leur froideur et du poids de leur passé.

nicht wieder entstanden. Die Regierungsbauten, ob alt oder neu, verteilen sich locker in der Mitte Berlins, dem alten und neuen Zentrum der Metropole. Das Bundespräsidialamt liegt etwas westlicher im Tiergarten, das Verteidigungsministerium in unmittelbarer Nähe des Kulturforums und das Innenministerium in einem Neubau im westlichen Stadtteil Moabit.

Für den Bau des Kanzleramtes samt den großen Baublöcken für Verwaltung und Abgeordnetenbüros nutzte man das Gelände im sogenannten Spreebogen am Reichstag. Hier lag einst das alte Alsenviertel, eine vornehme Wohngegend und traditioneller Botschaftsstandort – von den Nazis den Planungen für die Reichshauptstadt ›Germania‹ geopfert, im Zweiten Weltkrieg zerbombt und bis zur Wende eine riesige Brache im Grenzgebiet zwischen Ost- und Westberlin.

Wie die Ministerien wurden auch viele der nach Berlin ziehenden Botschaften in Altbauten untergebracht. Die wohlhabenderen Staaten aber ließen zumeist Neubauten errichten. Da die Botschaften nicht nur als diplomatische Standorte, sondern auch als Repräsentanten der Kultur ihres Landes angesehen werden, entstanden Gebäude von hervorragender Qualität, die heute zu den interessantesten Beispielen neuer Architektur in der Stadt zählen.

Vor dem Zweiten Weltkrieg hatten die diplomatischen Vertretungen zumeist in alten Stadtpalais residiert, wie die Botschaft der USA im Palais Blücher am Pariser Platz oder die Britische Botschaft im Palais Strousberg in der Wilhelmstraße. Beide Bauten wurden im Zweiten Weltkrieg zerstört.

Im einstigen Alsenviertel hat nur der Sitz der Schweizer Botschaft, ein Gründerzeitpalais in der Fürst-Bismarck-Straße, die dramatischen Zeitläufte überstanden. Die Schweiz residiert inzwischen erneut hier.

Andere Botschaften fanden Grundstücke in der Mitte Berlins, in den Villengegenden des Bezirks Zehlendorf oder am südlichen Rand des Tiergartens, um die Tiergarten-, Klingelhöfer- und Hiroshimastraße, wo seit den 1930er Jahren ein neues Diplomatenviertel entstanden war. Nur die mit Nazideutschland sympathisierenden Staaten hatten dort neue Vertretungen im Stil des ›Dritten Reichs‹ errichtet, darunter Spanien, Italien und Japan. Diese Staaten nutzen ihre alten Botschaftssitze – in stark veränderter Form – heute wieder.

Inzwischen haben sich viele weitere Nationen hier angesiedelt, darunter Estland, Indien, Österreich, Malaysia, Mexiko und die Nordischen Länder. Die Mehrzahl der Staaten bezog repräsentative Neubauten.

Die Botschaften der einstigen Siegermächte kehren ausnahmslos an ihre Vorkriegsstandorte zurück. Außer der russischen Botschaft, die die 1948–1952 erbaute diplomatische Vertretung der ehemaligen Sowjetunion Unter den Linden übernahm, lassen die Länder neue Gebäude errichten. Die britische Botschaft hat ihren Sitz auf dem angestammten Gelände in der Wilhelmstraße bereits bezogen, die französische Botschaft am Pariser Platz wurde 2005 fertiggestellt. Der Neubau für die Botschaft der USA – ebenfalls am Pariser Platz – hat begonnen.

of Berlin, the old and new centre of the metropolis. The Office of the Federal President lies somewhat to the west in the Tiergarten, the Department of Defence is located in direct proximity to the Kulturforum and the Ministry of the Interior is housed in a new building in the western district of Moabit.

The site at the so-called 'Spreebogen' at the Reichstag was assigned for the construction of the chancellor's office and a complex comprising two large blocks for administration and offices for the members of parliament. The site was formerly occupied by the Alsen quarter, an exclusive residential district and traditional embassy location. The neighbourhood fell victim to the Nazi plans for their capital 'Germania' and was heavily bombed in the Second World War. Prior to the reunification, the site had been a vast wasteland in the no-man's-land between East and West Berlin.

Like the ministries, many of the embassies transferring from Bonn to Berlin were housed in existing buildings, although most of the wealthier nations commissioned new buildings. Since the embassies are not only regarded as diplomatic institutions but also as representatives of each country's culture, these new buildings are of exquisite quality and number among the most interesting exponents of new architecture in the city.

Prior to the Second World War, most diplomatic missions were housed in historic city palaces, such as the US embassy in the Blücher Palace on Pariser Platz or the British embassy in the Strousberg Palace on Wilhelmstrasse. Both buildings were destroyed in the Second World War.

The only embassy building to survive the dramatic events of history in the former Alsen quarter is that of the Swiss, a foundation-period palace on Fürst-Bismarck-Strasse. Today, Switzerland is once again represented in this building.

Other embassies found properties in the centre of Berlin, in the upscale villa quarters of Zehlendorf or on the southern edge of Tiergarten, in the area around Tiergarten-, Klingelhöfer- and Hiroshimastrasse, where a new embassy and foreign mission district has existed since the 1930s. Only those states that sympathized with National Socialist Germany had erected new embassies in the style of the 'Third Reich' in this district, among them Spain, Italy and Japan. These states have relocated to their former, albeit decidedly re-designed, embassy buildings.

In the meantime, many other nations have established representations in this area, among them Estonia, India, Austria, Malaysia, Mexico and the Nordic countries. Most of these nations set up embassies in formal new buildings.

The embassies of the former Allied powers returned to their pre-war sites. With the exception of the Russian embassy, which occupies the diplomatic mission of the former Soviet Union erected in 1948–1952 on Unter den Linden, all have commissioned new buildings. The British embassy has already moved into its seat at the traditional site on Wilhelmstrasse and the French embassy on Pariser Platz is nearing completion. The new building for the US embassy – also on Pariser Platz – is under construction.

Un quartier gouvernemental *stricto sensu*, ou même un « centre du pouvoir », comme cela avait le cas avant la Deuxième Guerre mondiale dans la Wilhelmstrasse, ne fut pas reconstruit. Les bâtiments des institutions gouvernementales sont répartis au sein de Berlin-Mitte. L'administration présidentielle se situe légèrement à l'ouest, dans le Tiergarten, le ministère de la Défense tout près du Kulturforum et le ministère de l'Intérieur dans une nouvelle construction se trouvant dans le quartier ouest de Moabit.

Pour le nouvel édifice de la Chancellerie, y compris les bureaux des députés, on a utilisé le terrain dans un méandre de la Spree autour du Reichstag. C'est là que se trouvait autrefois le Alsenviertel, un quartier résidentiel et aisé, emplacement traditionnel des ambassades — les national-socialistes avaient prévu de le sacrifier pour en faire la capitale de l'Empire, « Germania » ; il fut rasé par les bombardements pendant la guerre et, jusqu'à la réunification, resta en friche.

Comme les ministères, nombre d'ambassades retournant sur Berlin se sont installées dans d'anciennes constructions. La plupart des pays riches firent cependant bâtir de nouveaux édifices. Avant la Deuxième Guerre mondiale, la plupart des représentations diplomatiques se trouvaient dans les anciens palais de la ville, ainsi l'ambassade des États-Unis dans le palais Blücher sur la Pariser Platz, et l'ambassade britannique dans le palais Strousberg dans la Wilhelmstrasse. Ces deux édifices furent détruits pendant la Deuxième Guerre mondiale. Dans l'ancien quartier Alsenviertel, seul le siège de l'ambassade de Suisse, un palais érigé dans les années après 1871 et situé dans la Fürst-Bismarck-Strasse, survécut aux événements dramatiques de l'époque. La résidence de Suisse est à nouveau installée ici. D'autres ambassades trouvèrent des terrains à Berlin-Mitte, dans les quartiers résidentiels de l'arrondissement Zehlendorf ou bien à la lisière sud de Tiergarten, autour des rues Tiergarten, Klingelhöfer et Hiroshima, où, depuis les années 1930, un nouveau quartier diplomatique était né. Seuls les pays sympathisant de l'Allemagne nazie y avaient établi leurs représentations dans le style du Troisième Reich, parmi eux l'Espagne, l'Italie et le Japon. À l'heure actuelle, ces pays utilisent de nouveau le siège de leurs anciennes ambassades — mais en ont complètement modifié l'aspect. Entre-temps, beaucoup d'autres nations, comme l'Estonie, l'Inde, l'Autriche, la Malaysie, le Mexique ou les pays nordiques, se sont établies dans ce même lieu. La plupart des États occupent de nouveaux bâtiments représentatifs.

Les ambassades des anciens pays alliés retournent aux emplacements d'avant-guerre. Excepté la Russie, qui a rejoint la représentation diplomatique de l'ancienne Union Soviétique érigée entre 1948 et 1952 et située sur Unter den Linden, les pays font construire de nouveaux édifices. L'ambassade britannique s'est déjà installée sur son terrain d'origine dans la Wilhelmstrasse, l'ambassade française se trouvant sur la Pariser Platz a été terminée en 2005. L'ambassade des États-Unis — également sur la Pariser Platz — est en construction.

Reichstag

»Reichsaffenhaus« und »Schwatzbude« nannte Kaiser Wilhelm II. das Reichstagsgebäude abfällig. Wieviel Aufwand aber um seine Errichtung betrieben wurde, zeigt die lange Planungs- und Bauzeit: 1872 hatte es einen ersten Wettbewerb gegeben, und erst 1894 war Paul Wallots Bau – ein mächtiges Gebäude im Formenkanon der italienischen Hochrenaissance – fertiggestellt.

Wie kein anderer Bau lokalisiert der Reichstag die Schicksalsdaten Deutschlands:

Am 9. November 1918 rief Philipp Scheidemann von einem Fenster des Hauptportals die Republik aus. Der Brand des Gebäudes am 27. Februar 1933, den die Nazis aus Propagandazwecken den Kommunisten anlasteten, führte zu den ersten willkürlichen Verhaftungen und hatte die Emigration vieler Intellektueller und Künstler zur Folge. Am 30. April 1945 schließlich hisste die Sowjetarmee zum Zeichen des Sieges hier die Rote Fahne.

Nach einer langen Zäsur fand vor dem Reichstag am 3. Oktober 1990 die Feier zur Wiedervereinigung Deutschlands statt.

1996–1999 wurde das Gebäude nach Plänen des britischen Architekten Lord Norman Foster umgebaut und ist heute Sitz des Bundestags. Die neue, begehbare Glaskuppel ist eine Besucherattraktion und ein neues Wahrzeichen Berlins.

Reichstag

Emperor William II was disparaging in his comments on the Reichstag building, calling it the "Monkey House of the Reich" and a "House of Gossip". But the efforts expended on this building are documented in the length of the planning and construction phase: a first competition was held in 1872 but Paul Wallot's building –a massive structure adhering to the formal canon of the Italian High Renaissance – was not completed until 1894.

The Reichstag embodies a fateful date in Germany's history like no other building: On November 9, 1918 Philipp Scheidemann proclaimed the republic from a window in the main portal. The Reichstag fire on February 27, 1933, which the Nazis claimed to have been the work of Communists for propaganda purposes, led to the first random incarcerations and resulted in the emigration of many intellectuals and artists. Finally, on April 30, 1945, the Soviet Army raised the Red Flag on the roof of this building to mark their victory.

After a long hiatus, the reunification of Germany was celebrated in front of the Reichstag on October 3, 1990.

In 1996–1999 the building was redesigned by British architect Lord Norman Foster and now houses the German parliament. The new glass cupola open to visitors has become a tourist attraction and a new symbol of Berlin.

Le Reichstag

« Reichsaffenhaus » (maison des singes de l'Empire) et « Schwatzbude » (chambre à causette) — c'est en ces termes dédaigneux que l'empereur Guillaume II qualifiait le bâtiment du Reichstag. Sa longue phase de conception et de construction montre cependant l'énergie et le dévouement mis dans son édification : un premier concours eut lieu en 1872, et ce n'est qu'en 1894 que la construction de Paul Wallot — un bâtiment imposant suivant les canons formels de la Renaissance italienne — fut terminée.

Le Reichstag est sans nul doute le seul bâtiment à incarner autant le destin de l'Allemagne : le 9 novembre 1918, Philipp Scheidemann proclama la République d'une des fenêtres du portail principal ; l'incendie du 27 février 1933 et dont les communistes furent rendus responsables par les nazis, à des fins propagandistes, mena à des premières arrestations arbitraires et entraîna l'émigration de beaucoup d'intellectuels et artistes ; puis, le 30 avril 1945, l'armée soviétique y hissa le drapeau rouge en signe de victoire.

Après une longue césure, la fête célébrant la réunification de l'Allemagne eut lieu le 3 octobre 1990 devant le Reichstag. De 1996 à 1999, le bâtiment fut transformé suivant les plans de l'architecte Lord Norman Foster ; il est aujourd'hui le siège du Bundestag.

1945 war die Not der Berliner so groß, dass sie die Bäume des Tiergartens abholzten, um Brennmaterial zu erhalten. Die Brachflächen wurden als Kartoffelacker genutzt. Auf dem zerstörten Reichstagsgebäude ist die alte Kuppel zu erkennen. Die Eisenkonstruktion – 1894 eine technische Meisterleistung – wurde 1954 gesprengt.

In 1945 the residents of Berlin were in such desperate straits that they cut down trees in the Tiergarten for firewood. The bare areas were used to grow potatoes. The old cupola is visible on the destroyed Reichstag building. The iron construction – a technical masterpiece in 1894 – was demolished in 1954.

En 1945, la détresse des Berlinois était si grande qu'ils abattirent les arbres du Tiergarten pour avoir du combustible. Les friches furent transformées en champ de pommes de terre. Sur le site du bâtiment du Reichstag détruit, on reconnaît la vieille coupole. La construction en fer — réalisée en 1894 — fut dynamitée en 1954.

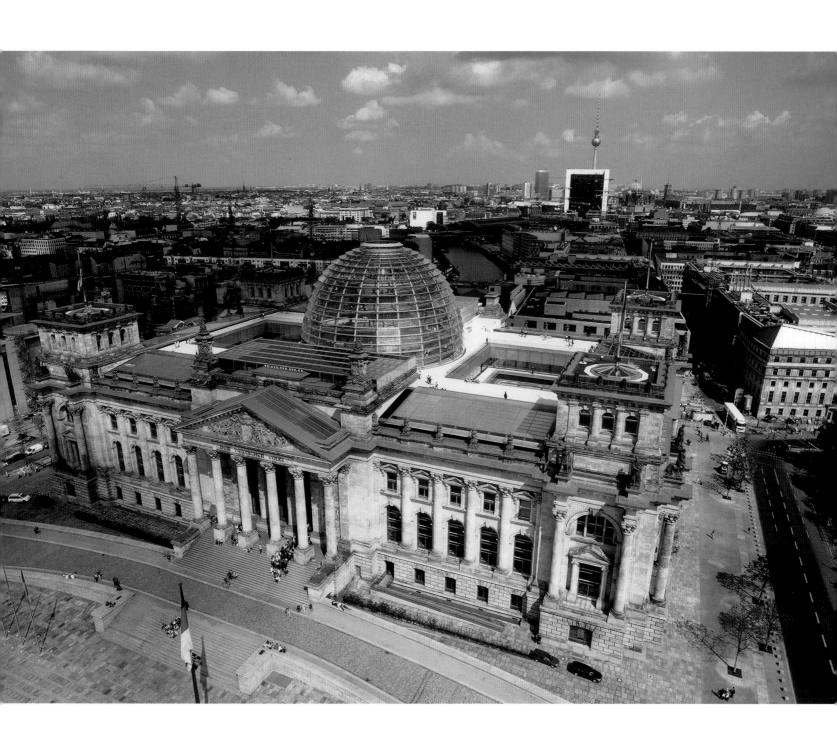

Schloss Bellevue und Bundespräsidialamt

Bellevue Castle and President's Office

Bellevue et les bureaux présidentiels

Schon seit 1959 ist das Schloss Bellevue Sitz des Bundespräsidenten. Es wurde aber nur für gelegentliche Empfänge genutzt, denn bis zum Mauerfall blieb die Bonner Villa Hammerschmidt der ständige Amtssitz des Staatsoberhaupts.

Erst nach der Wende wurde das Bundespräsidialamt offiziell nach Berlin verlegt. Das schöne, frühklassizistische Schloss, dessen Innenräume im Krieg stark zerstört worden sind, erhielt eine erneute Grundsanierung und dient seit 1994 als würdevoller Rahmen für Staatsempfänge.

Die Verwaltung befindet sich in einem 1996–1998 errichteten Neubau, der 200 Meter südlich vom Schloss, fast versteckt im Tiergarten liegt. Die strenge Architektur der Ungers-Schüler Martin Gruber und Helmut Kleine-Kraneburg führte zu widersprüchlichen Reaktionen. Lob erhielt die Form des Gebäudes – eine einfache, in sich geschlossene Ellipse, die sich der Höhe des Schlosses anpasst. Die Verkleidung mit schwarzem Granit jedoch rief Befremden hervor, wohl weil dem Betrachter die eigentliche Wirkung des Baus verborgen bleibt: Innen liegt ein weiß gehaltenes, glasgedecktes Atrium, das einen schönen Kontrast zur dunklen Außenhaut herstellt.

Bellevue castle has been the official seat of the Federal President ever since 1959. It was only used for receptions every now and then, however, because the Villa Hammerschmidt in Bonn remained the permanent residence of the head of state until the fall of the Wall.

The Office of the Federal President was officially transferred to Berlin only after reunification. The beautiful, early Classicist castle, whose interior suffered heavy damage in the war, underwent extensive renovations and has served since 1994 as a dignified setting for state receptions.

The administration was located in a new building from 1996–1998, 200 metres south of the castle and almost hidden in the Tiergarten. The severe architecture designed by Martin Gruber and Helmut Kleine-Kraneburg, both of whom studied under Ungers, met with mixed reactions. The shape of the building – a simple, self-contained ellipsis that corresponds to the height of the castle – was widely praised. But the black granite cladding incited consternation, perhaps because the true effect of the building remains hidden to the observer: the interior features a white, glass-covered atrium that offers a stunning contrast to the dark external skin.

Le château Bellevue est devenu le siège du Président fédéral dès 1959. Il n'était cependant utilisé que pour des réceptions occasionnelles, la villa Hammerschmidt à Bonn restant, jusqu'à la chute du Mur, le siège administratif permanent du Chef de l'État.

Ce n'est qu'après la réunification que l'administration présidentielle fédérale fut officiellement transférée à Berlin. De nouveaux travaux d'assainissement furent alors réalisés au château Bellevue : l'intérieur de ce magnifique château de style classique fut sérieusement endommagé durant la guerre. Depuis 1994, il offre un cadre approprié aux réceptions officielles.

Les bureaux administratifs sont dans un nouveau bâtiment (construit entre 1996 et 1998), à 200 mètres au sud du château, presque caché dans le Tiergarten.

Le style architectural austère des élèves de Ungers, Martin Gruber et Helmut Kleine-Kraneburg provoqua des réactions mitigées. En revanche, la forme de l'édifice fut accueillie positivement — il s'agit d'une ellipse simple se refermant sur elle-même et s'accordant à la hauteur du château. Le revêtement en granit noir dégage cependant quelque chose d'étrange, probablement parce que le véritable effet recherché par la construction reste caché : à l'intérieur, un atrium de couleur blanche et recouvert de verre offre un beau contraste avec l'enveloppe extérieure du bâtiment.

Prinz August Ferdinand von Preußen, der jüngste Bruder Friedrichs II., ließ sich das Schloss 1795 von Philipp Daniel Boumann als idyllische Sommerresidenz am Rand des Tiergartens errichten. Als erstes preußisches Königsschloss im klassizistischen Stil ist es auch für die Architekturgeschichte Berlins von Bedeutung.

Prince August Ferdinand of Prussia, the youngest brother of Frederick II, commissioned Philip Daniel Bouman to create the castle in 1795 as an idyllic summer residence on the edge of the Tiergarten. The first Prussian royal castle in the Classicist style, it is also an important element in Berlin's architectural history.

En 1795, le prince Ferdinand Auguste de Prusse, le plus jeune frère de Frédéric II, fit construire le château à la lisière de Tiergarten par Philipp Daniel Boumann pour en faire une résidence d'été. Ce premier château royal prussien de style classique est très important pour l'histoire architecturale de Berlin.

Bundeskanzleramt

Chancellery

La Chancellerie

Ist das Gebäude im sogenannten Spreebogen ein »Tempeltheater für Staatsathleten« oder ein »schöner Klotz am Bein der Republik«, wie es ein Kritiker genannt hat?

Wegen seiner manirierten Formen und seiner immensen Größe war das Kanzleramt, Berlins wichtigster Regierungsneubau, schon lange vor der Eröffnung am 2. Mai 2001 harten Urteilen ausgesetzt.

Axel Schultes und Charlotte Frank, die Architekten des Baus, mussten hohen Erwartungen gerecht werden. Nicht nur ein funktionierendes Haus sollte entstehen, sondern auch ein Symbol der vereinten Republik.

Über 300 Meter lang ist der weiße Betonbau. Die 22 Meter hohen Flügel enthalten Büros. In dem zentralen, fast doppelt so hohen Kubus – unverwechselbar durch die riesigen Bogensegmente – liegen Empfangsräume, Kabinettsaal und das Arbeitszimmer der Kanzlerin. Der offizielle Zugang erfolgt von der Ehrenhofseite (S. 87).

Die wuchtige Wirkung des langgestreckten Baukörpers wird durch den städtebaulichen Kontext gemildert. Denn das Kanzleramt liegt nicht isoliert, sondern bildet mit weiteren neugebauten Verwaltungs- und Büroblöcken ein architektonisches Band, das die Spree in West-Ost Richtung überspannt: Ein Symbol für die Überwindung der einstigen Teilung Berlins.

Is the building on the so-called Spreebogen a "temple theatre for state athletes" or a "beautiful 'ball and chain' on the leg of the Republic" as one critic put it?

Its mannerist forms and monumental dimensions exposed the Chancellery, Berlin's most important new government building, to harsh judgement and criticism long before it was officially opened on May 2, 2001.

The architects Axel Schultes and Charlotte Frank had to meet high expectations. The brief called not only for a functioning house, but also for a symbol of the unified republic.

The white concrete structure is over 300 metres long. The 22-m-high wings contain offices while the central cube – nearly twice the height and with distinctive monumental segmental arches – accommodates reception rooms, the cabinet and the chancellor's office. The official entrance is located on the side of the Ehrenhof (p. 87).

The massiveness of the elongated fabric is somewhat relieved by the urban context. For the Chancellery is by no means a solitary, isolated structure; instead, it joins other new administration and office blocks to form an architectonic ribbon that spans the Spree River in an east-west direction in a symbolic gesture of having overcome Berlin's former partition.

Le bâtiment situé dans le méandre de la Spree est-il, comme disait un critique, un « temple théâtral pour les athlètes de l'État » ou bien un « boulet pour la République » ? En raison de ses formes maniéristes et de son immense taille, la Chancellerie, la nouvelle construction gouvernementale la plus importante de Berlin, avait déjà été sévèrement jugée bien avant son inauguration le 2 mai 2001.

Axel Schultes et Charlotte Frank, les architectes de l'édifice, devaient répondre à de grandes exigences : créer non seulement une maison fonctionnelle, mais également le symbole de la République unifiée.

Le bâtiment en béton blanc atteint une longueur de plus de 300 mètres. Les ailes de 22 mètres de haut sont destinées aux bureaux. Le cube central qui est presque deux fois plus haut — on le reconnaît facilement à ses gigantesques segments en forme d'arches — abrite les salles de réception, la salle de réunion du cabinet et le bureau de la chancelière. L'entrée officielle se trouve du côté de la cour d'honneur (p. 87).

L'impression massive que donne ce vaste complexe est atténuée par l'architecture urbaine ambiante. En effet, la Chancellerie n'est pas isolée, mais forme, avec d'autres blocs nouvellement construits et destinés à l'administration et aux bureaux, une arche architecturale s'étirant au-dessus de la Spree, c'est-à-dire de l'Ouest vers l'Est : symbole de la réunification de Berlin.

Der Spreebogen spiegelt die Tragödien der Geschichte wider: Hier befand sich einst das noble Alsenviertel, dessen Wohnhäuser die Nazis für Albert Speers nie gebaute ›Volkshalle‹ großenteils abreissen ließen. Der ›Rest‹ wurde im Zweiten Weltkrieg zerstört. Nach dem Mauerbau fiel das Terrain in das Grenzgebiet und blieb Brachland.

The Spreebogen reflects the tragedies of history: this is where the exclusive Alsen quarter once stood, its homes largely demolished by the Nazis to make way for Albert Speer's 'Volkshalle', a project that was never realized. After the Wall was built, the quarter became part of the border wasteland throughout the period of the partition.

Le méandre de la Spree reflète les tragédies de l'histoire : le Alsenviertel, dont la majorité des maisons fut détruite par les nazis en vue de la construction d'une « hall du peuple » par Albert Speer, se trouvait là autrefois. Le « reste » fut détruit pendant la Deuxième Guerre mondiale. Après la construction du Mur, le terrain resta en friche.

Auswärtiges Amt

Department of External Affairs

Le ministère des Affaires étrangères

Dass der große Komplex des Auswärtigen Amtes aus Alt- und Neubau besteht, ist nur aus der seitlichen Perspektive zu sehen. An der Hauptfront zum Werderschen Markt wird der ältere Bauteil durch den neuerbauten Kubus verdeckt.

Der Altbau, 1934–1939 als Erweiterung der Reichsbank errichtet, ist ein Stück Architekturgeschichte. Er war das erste große Bauprojekt der Nationalsozialisten. Am Wettbewerb im Februar 1933 beteiligten sich auch prominente Vertreter der Moderne, darunter Walter Gropius und Ludwig Mies van der Rohe. Hitler aber wählte den monumental-konservativen Entwurf des Reichsbankbaudirektors Heinrich Wolff aus, eine zukunftsweisende Entscheidung. Denn diese Bauauffassung etablierte sich fortan als offizielle Staatsarchitektur des NS-Regimes und führte zur Ächtung der modernen Architektur und ihrer Vertreter.

Zu DDR-Zeiten saß hier das Zentralkomitee der SED; 1990 wurde das Gebäude von der DDR-Volkskammer genutzt.

Hans Kollhoff baute es bis 2000 zum Sitz des Auswärtigen Amtes um. Thomas Müller und Ivan Reimann, die Architekten des Neubaus, passten sich mit dem hellen Stein an den Altbau an. Zugleich mildert ihr Gebäude, das sich an drei Seiten in Höfe öffnet, die brutale Wucht des Nazi-Baus.

Only the lateral perspective reveals that the large complex of the Department of External Affairs consists of an old and a new building. On the main facade overlooking the Werderscher Market, the older fabric is obscured by the newly constructed cube.

The old structure, an addition to the Reichsbank erected in 1934–1939, is a piece of architectural history. It was the first major building project of the National Socialist regime. Several prominent modernists, among them Walter Gropius and Ludwig Mies van der Rohe, participated in the competition of February 1933. Hitler opted for the monumental and conservative proposal of Reichsbank Head of Public Works Heinrich Wolff, a decision that announced the development that would follow. For this building philosophy took hold as the official state architecture of the National Socialist regime and led to the denouncement of modern architecture and its representatives.

The sessions of the Central Committee of the SED party were held here during the GDR era; in 1990 the building was used by the GDR People's Chamber.

Hans Kollhoff converted the building into the new home for the Department of External Affairs, completing the project in 2000. Thomas Müller and Ivan Reimann, the architects of the new addition, employed light-coloured stone in keeping with the existing structure. At the same time, their building, which opens into a courtyard on three sides, diminishes the brutal force of the Nazi structure.

Ce n'est qu'en regardant latéralement le ministère des Affaires étrangères qu'il est possible d'en voir la composition : un édifice ancien et une construction nouvelle. Si on se trouve devant la façade principale donnant sur le Werderscher Markt, on ne voit plus la partie ancienne, cachée par le cube nouvellement construit.

L'ancien édifice, érigé de 1934 à 1939 pour agrandir la Reichsbank, est un véritable témoignage architectural : il fut en effet le premier grand projet de construction des national-socialistes. D'éminents représentants de l'architecture moderne participèrent au concours organisé en février 1933 : parmi eux, Walter Gropius et Ludwig Mies van der Rohe. Hitler choisit cependant le projet monumental et conservateur du directeur de chantier de la Reichsbank, Heinrich Wolff. Cette décision se révéla capitale pour l'avenir. En effet, la conception architecturale de l'édifice s'imposa dès lors comme architecture officielle du régime national-socialiste et mit au ban l'architecture moderne et ses représentants.

Durant l'existence de la RDA, le comité central du SED (parti socialiste de la RDA) siégea dans ce bâtiment ; en 1990, l'édifice fut utilisé par la chambre du peuple de la RDA. Hans Kollhoff le transforma ces dernières années en siège du ministère des Affaires étrangères. Thomas Müller et Ivan Reimann, les architectes du nouveau bâtiment, l'accordèrent à la pierre claire de l'ancienne construction. Leur édifice, dont trois côtés s'ouvrent sur des cours, atténue en même temps la puissance brutale de la construction national-socialiste.

Alt-Berlin mit seinen schmalen pittoresken Gassen – hier im Jahr 1909 – wurde im Zweiten Weltkrieg zerbombt. Rechts sieht man die Kuppeln von Stadtschloss und Dom; auf der linken Seite der Friedrichsgracht das ehemalige Reichsbankgebäude, das heute als Auswärtiges Amt dient. Die Jungfernbrücke ist eine Zugbrücke von 1798.

Old Berlin with its narrow, picturesque lanes – shown here in 1909 – was destroyed by bombs in the Second World War. The cupolas of the Stadtschloss and Cathedral are on the right; the former Reichsbank, today the Department of External Affairs, can be seen on the left side of the Friedrichsgracht. The Jungfernbrücke drawbridge dates back to 1798.

La vieille ville de Berlin (ici en 1909) fut bombardée pendant la Deuxième Guerre mondiale. Sur la droite, on aperçoit le Stadtschloss et la cathédrale ; sur le côté gauche du canal Friedrichsgracht, l'ancien bâtiment de la Reichsbank où siège désormais le ministère des Affaires étrangères. Le Jungfernbrücke est un pont-levis de 1798.

Finanzministerium

Ministry of Finance

Le ministère des Finances

Wie das Auswärtige Amt am Werderschen Markt spiegelt das Gebäude die politische Geschichte der letzten Jahrzehnte wider. Hermann Göring, Oberbefehlshaber der NS-Luftwaffe, hat den nationalsozialistischen Monumentalbau 1935/36 als Reichsluftfahrtministerium errichten lassen. Sein Architekt Ernst Sagebiel, einst Büroleiter des vor den Nazis geflohenen Avantgarde-Architekten Erich Mendelsohn, machte im NS-Regime Karriere: Wenig später baute er auch den Flughafen Tempelhof.

Die SED-Regierung nutzte den im Zweiten Weltkrieg kaum beschädigten Bau als Haus der Ministerien. Hier wurde die Verfassung der DDR beschlossen und Wilhelm Pieck als erster Staatspräsident gewählt.

»Niemand hat die Absicht, eine Mauer zu errichten« verkündete DDR Staats- und Parteichef Walter Ulbricht am 15. Juni 1961 in diesem Gebäude. Bereits zwei Monate später verlief die Berliner Mauer unmittelbar an der Grundstücksgrenze. Nach der Wende befand sich hier die Treuhandanstalt; das Haus trägt heute den Namen ihres ermordeten Präsidenten Detlev Rohwedder.

Nach längerem Zögern wurde das Gebäude ab 1996 zum Sitz des Finanzministeriums umgebaut. Die Architekten Hentrich und Petschnigg berücksichtigten weitgehend den Zustand von 1936.

Like the Department of External Affairs on the Werderscher Market, this building reflects the political history of the past decades. Hermann Göring, Chief of Staff of the NS-Luftwaffe, built the monumental National Socialist structure as the Reich's Air Force Ministry in 1935/36. His architect Ernst Sagebiel, previously office manager for avant-garde architect Erich Mendelsohn, who fled from the Nazis, made a career for himself under the National Socialist regime: soon after completing the ministry building, he was commissioned to built Tempelhof airport.

The SED government utilized the building, which had survived the war virtually unscathed, as the 'Haus der Ministerien' (House of Ministries). This is where the GDR constitution was drafted and where Wilhelm Pieck was elected as the first president of state.

"No one intends to build a wall," GDR president and party chief Walter Ulbricht declared in this building on June 15, 1961. A mere two months later, the Berlin Wall ran the boundary of this very property. After reunification, the Treuhandanstalt (trusteeship authority) was housed here; today, the building is named after the assassinated director of that institution, Detlev Rohwedder.

Starting in 1996 after a long period of hesitation, the building was converted into the new home of the Ministry of Finance. The architects Hentrich and Petschnigg strove to consider the pre-1936 condition of the existing structure.

Comme le ministère des Affaires étrangères au Werdersher Markt, le bâtiment abritant le ministère des Finances reflète l'histoire politique des dernières décennies. Hermann Göring, le commandant en chef de l'aviation national-socialiste, fit ériger cette imposante construction en 1935-1936 pour y installer le ministère de l'Aviation du Reich. Son architecte, Ernst Sagebiel (auparavant directeur du bureau de l'architecte avant-gardiste Erich Mendelsohn, lequel avait fui le régime nazi), fit, lui, carrière au sein de ce régime : quelques temps plus tard, il construisit l'aéroport de Tempelhof.

Le gouvernement du SED utilisa le bâtiment à peine endommagé pendant la Deuxième Guerre mondiale comme maison des ministères. C'est ici que la constitution de la RDA fut votée et que Wilhelm Pieck fut élu premier Président d'État.

C'est dans ce même bâtiment que Walter Ulbricht, Chef de l'État et Chef du Parti, proclama le 15 juin 1961 : « Personne n'a l'intention de construire un mur ». Deux mois plus tard, le Mur de Berlin longeait le terrain de l'édifice. La Treuhandanstalt (organisme fiduciaire chargé de privatiser les entreprises étatiques de la RDA) s'établit dans cet édifice après la réunification : l'immeuble porte aujourd'hui le nom de son président assassiné, Detlev Rohwedder.

Après de longues hésitations, le bâtiment fut transformé, à partir de 1996, pour abriter le siège du ministère des Finances. Les architectes Hentrich et Petschnigg prirent largement en compte l'apparence de 1936.

Auch Hinterlassenschaften der DDR-Zeit wurden bewahrt: An der Fassaden-Ecke Leipziger Straße befindet sich ein monumentaler Bildfries aus Meißener Porzellankacheln, den Max Lingner 1952 im Stil des die DDR verherrlichenden Sozialistischen Realismus entworfen hat. Dargestellt ist ein Zug ›glücklicher‹ Werktätiger.

Some GDR legacies have also been preserved: the facade at the corner of Leipziger Strasse displays a monumental frieze of Meissen porcelain tiles, designed by Max Lingner in 1952 in the style of Social Realism, which glorified the GDR system. The frieze depicts a procession of 'happy' workers.

Des héritages du temps de la RDA furent également conservés : au coin de la Leipziger Strasse se trouve une frise monumentale, constituée de carreaux de porcelaine de Meissen que Max Lingner avait dessinée en 1952 dans le style du réalisme socialiste glorifiant la RDA. Un cortège de travailleurs « heureux » y est représenté.

Botschaften

Embassy Buildings

Ambassades

In den Botschaftsgebäuden spiegelt sich die Vielfalt der Weltkulturen, und unter ihnen sind die schönsten und ausgefallensten Neubauten Berlins zu finden.

In Anwesenheit der Queen wurde am 18. Juli 2000 die Britische Botschaft in der Wilhelmstraße eingeweiht (S. 93 oben). An gleicher Stelle hatte vor dem Zweiten Weltkrieg das Palais Strousberg, der alte Botschaftssitz Großbritanniens, gestanden. Der Architekt Michael Wilford besaß wenig Gestaltungsfreiheit, da er das neue Gebäude in die vorhandene Bebauung – es grenzt an die Rückseite des Hotels Adlon – einfügen musste. Die popfarbigen Elemente in der Sandsteinfassade aber – der Zylinder ist ein Konferenzsaal, das Dreieck eine Informationsbox – geben dem Bau eine besondere Note.

Gut gelöst ist auch die Anlage der Nordischen Botschaften (1996–1999), für die Alfred Berger und Tiina Parkkinen den Gesamtplan entwickelten. Dänemark, Schweden, Norwegen, Finnland und Island wurden um einen Hof vereint (S. 93 unten). Nach Plänen verschiedener, aus den jeweiligen Heimatländern stammenden Architekten erhielt jede Nation ein eigenes Haus in einer schönen Kombination von Holz, Stein und Metall. Allen fünf Ländern dient ein Gemeinschaftsbau.

The embassy buildings reflect a rich variety in global cultures and represent some of Berlin's most beautiful and unusual new buildings.

The British embassy on Wilhelmstrasse (p. 93, top) was inaugurated in the presence of the Queen on July 18, 2000. The same site had been occupied prior to the Second World War by the Strousberg Palace, the former British embassy building in Berlin. The architect Michael Wilford had to operate within a constrained framework for his design, having to fit the new building into the existing development (the rear wall of the embassy lies adjacent to the Hotel Adlon). But the pop-coloured elements in the sandstone facade – the cylinder is a conference hall, the triangle an information kiosk – give the building a unique character.

The complex for the Nordic embassies (1996–1999) has also been successfully solved by Alfred Berger and Tiina Parkkinen, who developed the master plan. Denmark, Sweden, Norway, Finland and Iceland were grouped around a common courtyard (p. 93, bottom). Each nation is represented by a separate building, designed by native architects in a beautiful combination of wood, stone and metal. A shared building serves all five nations.

La diversité des cultures se reflète à travers les bâtiments des ambassades ; parmi eux se trouvent les nouvelles constructions de Berlin les plus belles et les plus singulières.

L'ambassade britannique située dans la Wilhelmstrasse fut inaugurée en présence de la reine Elisabeth II d'Angleterre le 18 juillet 2000 (p. 93, en haut). Avant la Deuxième Guerre mondiale, le Palais Strousberg, ancien siège de l'ambassade britannique, se trouvait à la même place. L'architecte Michael Wilford ne disposait que de peu de liberté pour concevoir le bâtiment : il devait en effet insérer le nouvel édifice au sein de constructions déjà existantes — celui-ci jouxte la façade arrière de l'hôtel Adlon. Les éléments rehaussés de couleurs modernes ornant la façade en grès — le cylindre est une salle de conférence, le triangle un bureau d'informations — donnent cependant un caractère particulier au bâtiment.

Les arrangements effectués (de 1996 à 1999) pour les ambassades des pays nordiques sont également réussis. Alfred Berger et Tiina Parkkinen en ont réalisé le plan d'ensemble. Le Danemark, la Suède, la Norvège, la Finlande et l'Islande ont été réunis autour d'une même cour (p. 93, en bas). Selon les plans des divers architectes de ces pays, chaque nation a sa propre maison mêlant bois, pierre et métal. Une construction commune sert aux cinq pays.

In einer Flucht mit den Nordischen Botschaften liegt die von einheimischen Architekten errichtete Mexikanische Botschaft (1999/2000) mit der Front aus weißen Betonlamellen. Aus rotem indischen Sandstein ist die Indische Botschaft (1999/2000) des Berliner Büros Léon Wohlhage Wernik: Eine schöne Adaption landestypischer Baukunst.

The frontage of the Mexican embassy (1999/2000), designed by native architects who created a facade of white concrete louvres, is in line with that of the Nordic embassies. The Indian embassy (1999/2000) designed by the Berlin firm Léon Wohlhage Wernik, is realized in red Indian sandstone, an attractive adaptation of traditional Indian architecture.

Dans le même axe que les ambassades des pays nordiques, celle du Mexique a été érigée par des architectes du pays (1999-2002). L'ambassade de l'Inde, conçue en grès rouge par le bureau berlinois Léon Wohlhage Wernik adapte bien l'art architectural typiquement indien dépourvu de folklore.

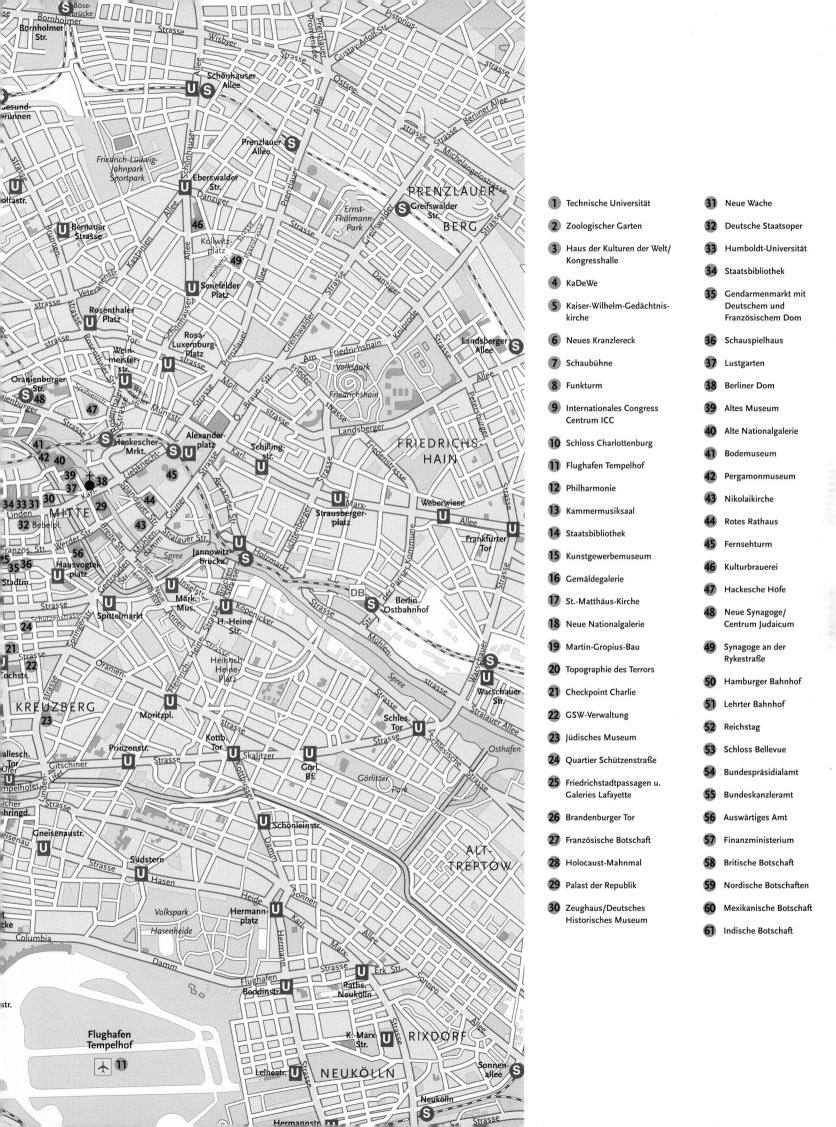

BERLIN
Die Gesichter des Jahrhunderts
A Century of Change

120 Seiten mit 310 Abbildungen, davon 22 in Duotone und 47 in Farbe.
120 pages with 310 illustrations, 22 in duotone and 47 in colour.
120 pages, 310 ill., dont 22 en deux tons et 47 en couleurs.

Die Photographien dieses Bandes zeigen 100 Jahre Berlin, wie man sie in dieser erstaunlichen Vielfalt selten zuvor gesehen hat. Ein faszinierendes Porträt der deutschen Hauptstadt liegt hiermit vor, die momentan wieder im Begriff ist, ihr Erscheinungsbild einem grundlegenden Wandel zu unterziehen. Die Photographien dokumentieren die wechselvolle Entwicklung der Stadt aus dem Blickwinkel ihrer Bewohner und deren Aktivitäten: Menschen bei ihrer Arbeit, in ihrem Privatleben, bei politischen Protestaktionen oder Zuhause.

From the early years of the twentieth century till the turn of the new millennium these images of Berlin display an astonishing variety of faces. Documenting the changes in the city from the viewpoint of the activities of its citizens—at work, leisure, protest and politics or in the home—this book provides a fascinating portrait of a city which is again in the process of reinventing itself.

Les photographies rassemblées ici montrent les différents aspects que Berlin a pu avoir tout au long du XXᵉ siècle. Vue sous l'angle de ses habitants et de leurs activités — travail, loisirs, vie domestique, rassemblements politiques —, la capitale allemande révèle ici le portrait inédit et fascinant d'une ville en perpétuelle mutation.

ISBN 3-7913-2299-0